MUÑECOS DE TELA

CON DISEÑOS FANTÁSTICOS Y CREATIVOS

MUÑECOS DE TELA

CON DISEÑOS FANTÁSTICOS Y CREATIVOS

12 PROYECTOS PASO A PASO CON SUS PATRONES

Rosalie Quinlan

Melanie Hurlston

Editora: Eva Domingo

Primera edición: 2011
Segunda edición: 2013

Título original: *Sewn Toy Tales*
Publicado por primera vez en inglés en 2011 en UK por David & Charles, Brunel House Newton Abbot, Devon, TQ 12 4PU, U.K.

Marqués de Urquijo, 34. 28008 Madrid
Tel.: 91 559 98 32. Fax: 91 541 02 35
E-mail: info@editorialeldrac.com
www.editorialeldrac.com

Fotografías: Lorna Yabsley
Diseño de cubierta: José M.ª Alcoceba
Traducción: Ana María Aznar
Revisión técnica: Mónica Yavarone

ISBN: 978-84-9874-205-3

Índice

Introducción

Cuando nos propusieron por primera vez colaborar en un libro sobre muñecos de tela, nos sentimos tan entusiasmadas como honradas. ¡Es fantástico que nos brinden a dos hermanas la oportunidad de trabajar juntas en un proyecto tan agradable y satisfactorio! Pasamos muy buenos momentos pensando qué personajes compartiríamos con los lectores.

Conforme las criaturas cobraban vida, empezamos a ver el conjunto y a sentir una mayor emoción. Cuando llegó el día de enviar nuestras creaciones al otro lado del mundo, sabíamos que iban a parar a las mejores manos, pero no podíamos imaginar lo maravilloso que iba a ser el resultado.

Ahora presentamos nuestra mágica colección de muñecos de tela, que se confeccionan fácilmente siguiendo las detalladas instrucciones paso a paso. Las fotografías se centran en detalles (las orejas, la expresión de la cara o la vestimenta) que confieren a los personajes su carácter individual para que todos los lectores puedan darles vida. La sección final del libro presenta no solo los patrones de todos los muñecos, sino que también ofrece consejos sobre las herramientas básicas, la elección de las telas para lograr efectos espectaculares y las sencillas técnicas de costura necesarias para conseguir resultados de profesional.

Estamos seguras de que, al confeccionar estos personajes para ti o los tuyos, sentirás tanta alegría como la que ellos nos han proporcionado a nosotras.

¡Y ahora, a por la aguja y el hilo!

Melly y Rosie

La muñeca Tilly

¿Quién anda correteando por ahí? Ah, teníamos que haberlo adivinado: es la señorita Tilly, la muñeca. Es una jovencita llena de energía, que no para de saltar y correr sobre sus largas piernas y con las coletas al viento, pasándoselo en grande. Pero, todo hay que decirlo, también está un poco en las nubes, y no solo por lo alta que es...

Sin embargo, confeccionar a Tilly es una labor muy fácil utilizando las técnicas de realización de muñecos de tela, y el bordado para la carita sonrosada. Y para terminar, se le hacen unos zapatos con unos toques de pintura para tela.

Se necesita

- 30 x 50 cm de tela de algodón verde con motivos (cuerpo y parte superior de los brazos)
- 25 x 40 cm de tela de algodón de rayas rosas (piernas)
- 30 x 50 cm de percal (brazos y cabeza)
- 30 x 30 cm de tela de algodón de cuadritos rosas (pelo)
- 25 x 60 cm de tela de algodón amarilla con motivos (pantalón)
- 15 x 15 cm de entretela termoadhesiva
- Hilo de bordar de 6 hebras (mouliné): marrón y rosa
- Pintura acrílica rosa
- Barniz acrílico mate
- Kit básico de herramientas (páginas 102-103)

Tamaño terminado: unos 40 cm de alto

"¡Y después, a la cama elástica!"

1 Dibujar los patrones de Tilly de la página 125 en un plástico para plantillas, copiando todas las marcas. Recortarlos por las líneas exteriores.

2 Doblar por la mitad la tela verde con motivos, derecho con derecho. Dibujar el patrón del cuerpo una vez sobre la tela en doble, pero no recortarla, porque antes de hacerlo habrá que coserla.

3 Doblar la tela de rayas rosas por la mitad, derecho con derecho. Dibujar el patrón de las piernas dos veces sobre la tela en doble, comprobando que las rayas quedan bien alineadas. No recortarlas, porque habrá que coserlas antes.

El aire desgarbado de Tilly se debe enteramente a sus piernas y a la llamativa tela de rayas uniformes que realza esa característica, contrastando con la tela del pantalón. Asegurarse de casar las rayas en las costuras.

4 Para los brazos de Tilly, cortar una tira de tela verde con motivos, de 5 x 50 cm, y una tira de percal de 13 x 50 cm. Coser la tira verde arriba de la de percal, por el borde de 50 cm. Abrir y planchar.

5 Doblar por la mitad la pieza para el brazo, derecho con derecho, de modo que las telas casen en horizontal. Planchar. Dibujar dos veces el patrón del brazo sobre la pieza de tela doblada, asegurándose de casar la línea de la manga del patrón con la tela verde. No recortar, porque antes habrá que coser los brazos.

6 Cortar del percal una pieza que mida 15 x 13 cm. Dibujar por el revés el patrón de la cabeza, con la tela simple. Volver la pieza de percal y colocarla boca abajo sobre una mesa de luz o contra una ventana. Con un lápiz de mina dura, dibujar la forma de la cabeza sobre el derecho de la tela, asegurándose de seguir exactamente las líneas dibujadas por el revés. Esto se hace para poder colocar bien la pieza del pelo de Tilly.

7 Dibujar la pieza del pelo que se coloca sobre la cara en el papel de la entretela termoadhesiva. Cortar dos piezas de tela de cuadritos rosas de 15 x 13 cm. Con la plancha, pegar la entretela termoadhesiva sobre el revés de una pieza de tela. Recortar la pieza del pelo por la línea continua (no la discontinua).

8 Retirar el papel de protección de la entretela termoadhesiva y colocar la pieza del pelo sobre el derecho de la pieza para la cabeza de Tilly, siguiendo la línea a lápiz para situarla correctamente en su lugar. Pegar con la plancha las dos telas. Coser a mano una bastilla o un festón (páginas 106-107), o hacer un zigzag menudo a máquina, por el borde interior del pelo de Tilly.

9 Poner la otra pieza de tela de cuadritos rosas, derecho con derecho, sobre el panel frontal de la cabeza de Tilly. Coser la cabeza de Tilly por la línea exterior antes dibujada, pero sin dejar abertura para volver del derecho.

10 Recortar la cabeza de Tilly a unos 6 mm por fuera de la línea cosida. Cortar una pequeña abertura, solo en la tela de detrás (tela rosa) de la cabeza de Tilly, situándola en horizontal, en el centro de la parte inferior, a unos 1,3 cm de la costura. Volver la cabeza del derecho por esa pequeña abertura.

11 Rellenar la cabeza bien apretada con relleno para muñecos (página 110) y coser a punto escondido la abertura de detrás de la cabeza.

12 Coser a máquina el cuerpo y las piernas siguiendo las líneas exteriores dibujadas, dejando los extremos abiertos para volver del derecho. Coser a máquina los brazos por las líneas exteriores dibujadas, dejando sin coser la abertura marcada en el patrón para volver del derecho.

13 Recortar el cuerpo, las piernas y los brazos a unos 6 mm por fuera de las costuras. Volver del derecho.

14 Rellenar los brazos apretando el relleno para muñecos y coser las aberturas a punto escondido (página 112). Rellenar las piernas apretando bien hasta la línea, dejando la parte de arriba sin rellenar. Siguiendo la técnica de Insertar las piernas (página 113), coser estas al cuerpo. Rellenar el cuerpo apretando bien el relleno para muñecos y coser la abertura entre las piernas a punto escondido.

15 Colocar la cabeza en la parte superior del cuerpo, solapando la abertura de rellenado de la cabeza. Siguiendo la técnica de Cosido de piezas a punto escondido (página 115), coser la cabeza sobre el cuerpo donde indica el patrón, siguiendo la línea de costura alrededor de la parte alta del cuerpo. Esta costura deberá cubrir la abertura de rellenado y mantener la cabeza bien sujeta en su sitio.

16 Coser a punto escondido los brazos, a 1,8 cm de la parte superior, en los costados del cuerpo de Tilly.

En lugar de llevar un pelo de muñeca convencional, Tilly luce una original peluca de tela, acorde con su carácter: otra forma de llamar la atención. Obsérvese dónde se unen las coletas, confeccionadas aparte.

Los brazos de Tilly, largos y finos, contribuyen a destacar su personalidad vivaracha; incorporan, acertadamente, las mangas de la blusa, que están cosidas al percal antes de recortar los brazos. Ver dónde están cosidos los brazos al cuerpo, a punto escondido.

"¡Huy, qué alto está esto!"

17 Con un rotulador de tinta no permanente, dibujar los ojos, la boca y las mejillas en el rostro de Tilly. Con tres hebras de hilo de bordar marrón, hacer los ojos a punto de satén (página 107). Con tres hebras de hilo de bordar rosa, dibujar las mejillas con una bastilla y la boca con punto atrás (página 106). (Se podrá esconder el nudo detrás de la cabeza de Tilly, entre el pelo y el cuerpo).

18 Dibujar dos veces el patrón de las coletas en el resto de la tela de cuadritos rosas, doblada por la mitad. Coser por las líneas dibujadas, dejando los extremos abiertos. Recortar las coletas a 6 mm por fuera de la costura. Dar unos cortes en las curvas y volver del derecho.

19 Rellenar las coletas con relleno para muñecos. Remeter las puntas unos 6 mm y coser las coletas sobre la cabeza de Tilly a punto escondido (página 115), cuidando de alinearlas con la línea inferior del pelo de Tilly.

ROPAS Y ZAPATOS DE TILLY

1 Dibujar el patrón del pantalón sobre la tela amarilla con motivos doblada por la mitad y recortar por la línea dibujada. Coser a máquina las dos piezas del pantalón siguiendo la costura de tiro, como indica el patrón, dejando un margen de costura de 6 mm. Tirar de la costura hacia el delantero y la espalda y hacer a máquina la costura a lo largo de una pernera, y luego, de la otra.

2 Doblar hacia dentro la cintura y el bajo de las perneras unos 1,3 cm y planchar. Con seis hebras de hilo de bordar rosa, coser una bastilla con puntadas medianas siguiendo el borde de la cintura, sin rematar el hilo al terminar. Poner los pantalones a Tilly y tirar del hilo sin rematar para fruncir la cintura por igual; atar con un nudo fuerte. Coser los pantalones al cuerpo de Tilly pasando el hilo por dentro del cuerpo, saliendo por la espalda del pantalón y volviendo a salir por el delantero, antes de hacer un nudo.

3 Fruncir las perneras del pantalón igual que la cintura, cosiéndolas a las piernas como antes para que queden al mismo nivel.

4 Con el lápiz de mina dura, dibujar la línea de los zapatos en los pies de Tilly, siguiendo la marca dibujada en el patrón. Pintar y barnizar los zapatos siguiendo la técnica de Pintar tela (página 115).

Tilly lleva pantalones en lugar de vestido y así está lista para emprender cualquier aventura que se le ocurra; el bajo de las perneras va cosido a las piernas para sujetarlo en su sitio. Y lleva zapatos todo terreno.

El monstruo Harry

Cuando Harry ande rondando por ahí, ten cuidado; este monstruo es un fiestero. Y no es difícil de adivinar viendo su cuerpo con tantos adornos, discos naranja y "tatuajes" de besitos. Eso si consigues liberarte del embrujo de sus extravagantes ojos sobre los tentáculos, de sus brazos en forma de cuernos y de su boca ondulante. Y, además, tiene unos disparatados pelos naranjas.

La confección del cuerpo de Harry es tan rápida y tan fácil que sobra tiempo para decorarlo con aplicaciones y bordados, que son los que le dan esa personalidad chiflada y original.

Se necesita

- 40 x 60 cm de tejido de lana azul (cuerpo)
- 20 x 20 cm de fieltro de lana naranja (aplicaciones redondas)
- 5 x 10 cm de fieltro blanco (ojos)
- 5 x 10 cm de fieltro negro (pupilas)
- 7 x 25 cm de fieltro rojo (cuernos)
- Hilo de bordar de seis hebras (mouliné): rojo, verde lima, morado, amarillo, blanco, negro, naranja
- Papel para congelar «Freezer paper»
- Rotulador fino de tinta permanente
- Aguja de ojo grande
- Kit básico de herramientas (páginas 102-103)

Tamaño terminado: unos 35 cm de alto

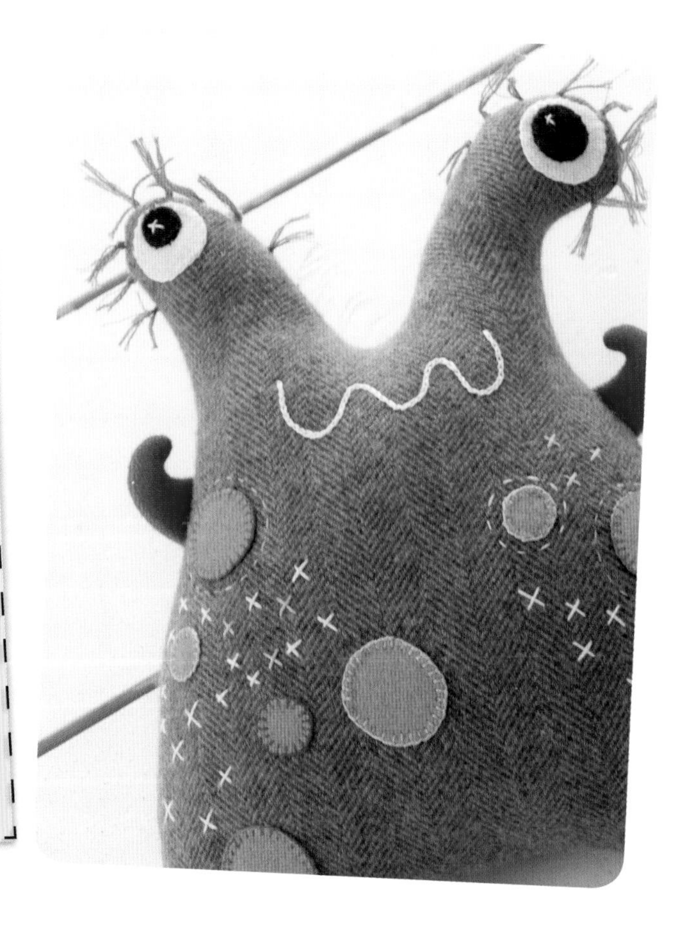

"¡Vamos
de fiesta!"

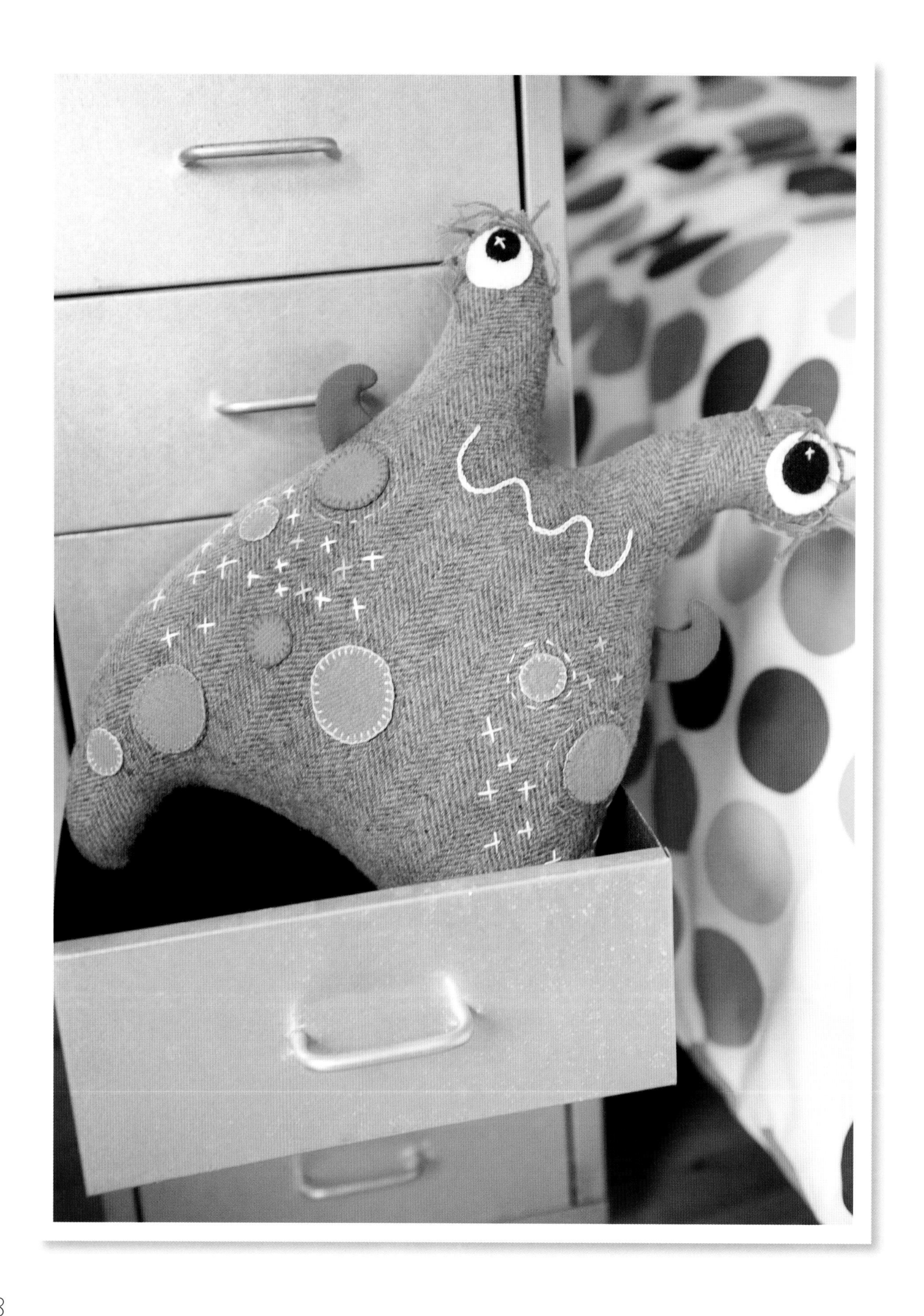

1 Dibujar sobre plástico para plantillas todos los patrones de Harry, incluidos los discos grandes y pequeños del cuerpo, los ojos y las pupilas (página 120), copiando todas las marcas. Recortarlos por las líneas exteriores.

2 Dibujar el patrón del cuerpo sobre el lado de papel para congelar «Freezer paper». Dar vuelta al patrón y dibujar un segundo cuerpo en el mismo lado del papel para congelar «Freezer paper». Recortar las piezas del cuerpo por las líneas dibujadas.

3 Cortar el tejido de lana azul por la mitad, para tener dos piezas de 40 x 30 cm cada una.

4 Colocar el segundo patrón del papel para congelar «Freezer paper» centrado sobre el revés de una de las piezas de tejido de lana azul y plancharlo por el lado del plástico. Dibujar el contorno del patrón con un rotulador de tinta permanente (esta línea será más adelante la de costura). Marcar la abertura para volver del derecho, como se indica en el patrón.

5 Planchar la primera plantilla del papel para congelar «Freezer paper» sobre el derecho de la misma pieza de tejido de lana azul, asegurándose de que coincida exactamente con el papel para congelar «Freezer paper» del revés del tejido.

6 Dibujar con jaboncillo el contorno del patrón del delantero (para comprobar que se colocan en su sitio las piezas de aplicación). Retirar el papel para congelar «Freezer paper» del derecho y del revés del tejido de lana.

7 Utilizar los patrones de los discos para recortar cuatro discos grandes y cinco pequeños de fieltro naranja. Colocar los discos como se indica en el patrón del cuerpo. Prender los discos con cuidado en su sitio, en el delantero del cuerpo de Harry.

8 Con seis hebras de hilo de bordar, hacer un festón (página 107) alrededor de cada disco, alternando el verde lima, el morado, el rojo y el amarillo.

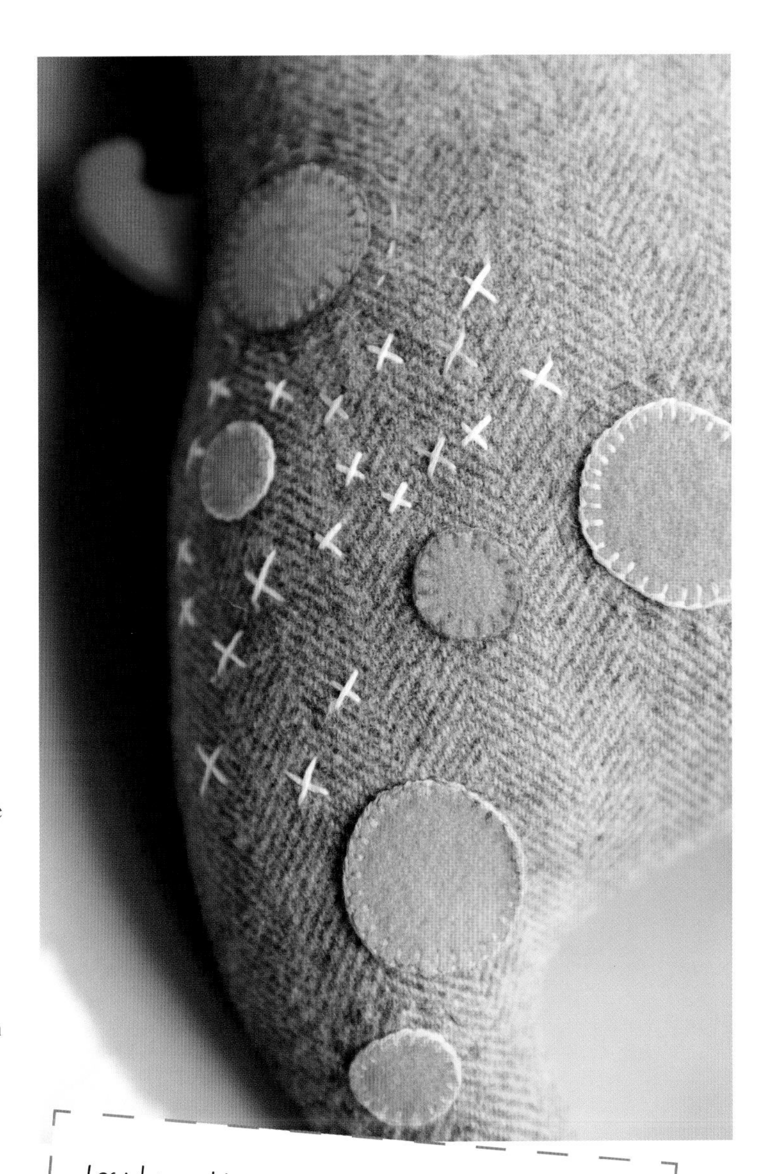

Los adornos del cuerpo de Harry dicen mucho de su naturaleza extrovertida y artística. Puede impresionar, pero es fácil de confeccionar con discos recortados y unos sencillos puntos de bordado con un hilo que haga contraste.

9 Con los patrones, recortar los ojos de fieltro blanco y las dos pupilas de fieltro negro. Situar los discos blancos en la parte frontal del cuerpo de Harry y coserlos en su sitio por el borde con un festón abierto, utilizando seis hebras de hilo de bordar blanco. Colocar las pupilas en su lugar y coserlas igual que los ojos, con hilo de bordar negro.

10 Con el jaboncillo, dibujar la boca, las cruces y los redondeles en el delantero del cuerpo de Harry. Con seis hebras de hilo de bordar blanco, dibujar la boca a punto de cadeneta, hacer la mayoría de las cruces y poner un pequeño punto de cruz en la parte superior de las pupilas (páginas 106-107).

11 Bordar las demás cruces con hilo de bordar verde lima. Bordar los redondeles con una bastilla (página 106) en rojo, amarillo y blanco, también con seis hebras. Reservar.

12 Dibujar dos veces el contorno del patrón de los cuernos sobre el lado de papel para congelar «Freezer paper». Recortar las dos piezas por las líneas.

13 Doblar el fieltro rojo por la mitad. Pasar la plancha sobre el lado de plástico del papel para congelar «Freezer paper» colocado sobre el fieltro en doble, asegurándose de dejar entre cada plantilla un espacio de al menos 1,3 cm.

Una sonrisa malvada como pocas, ¿verdad? Se dibuja a punto de cadeneta con seis hebras de hilo de bordar blanco, para que quede más impactante sobre el tejido azul del cuerpo.

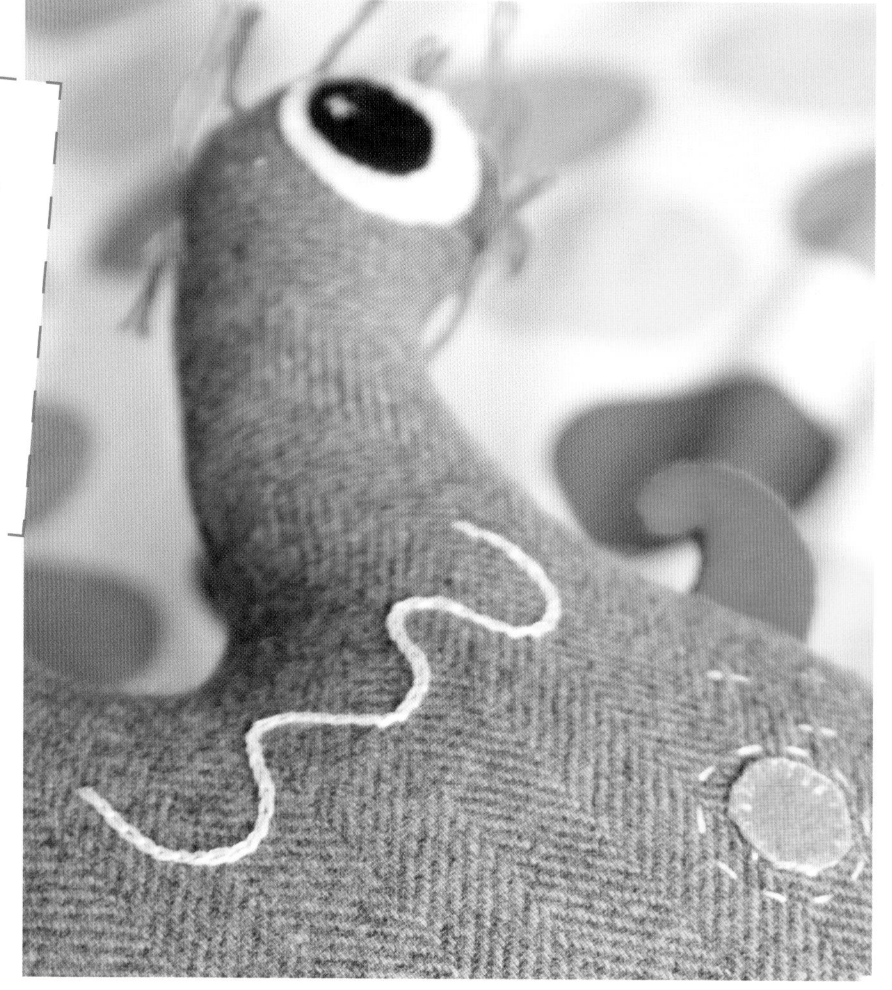

"¡Vamos a bailar!"

14 Con el papel para congelar «Freezer paper» en su sitio, hacer una costura a máquina alrededor de cada cuerno, dejando los extremos abiertos. Retirar el papel para congelar «Freezer paper». Recortar los cuernos a 6 mm por fuera de las costuras. Volver los cuernos del derecho y planchar.

Consejo

Harry lleva mucho más relleno de lo que parece, porque el tejido de lana cede bastante.

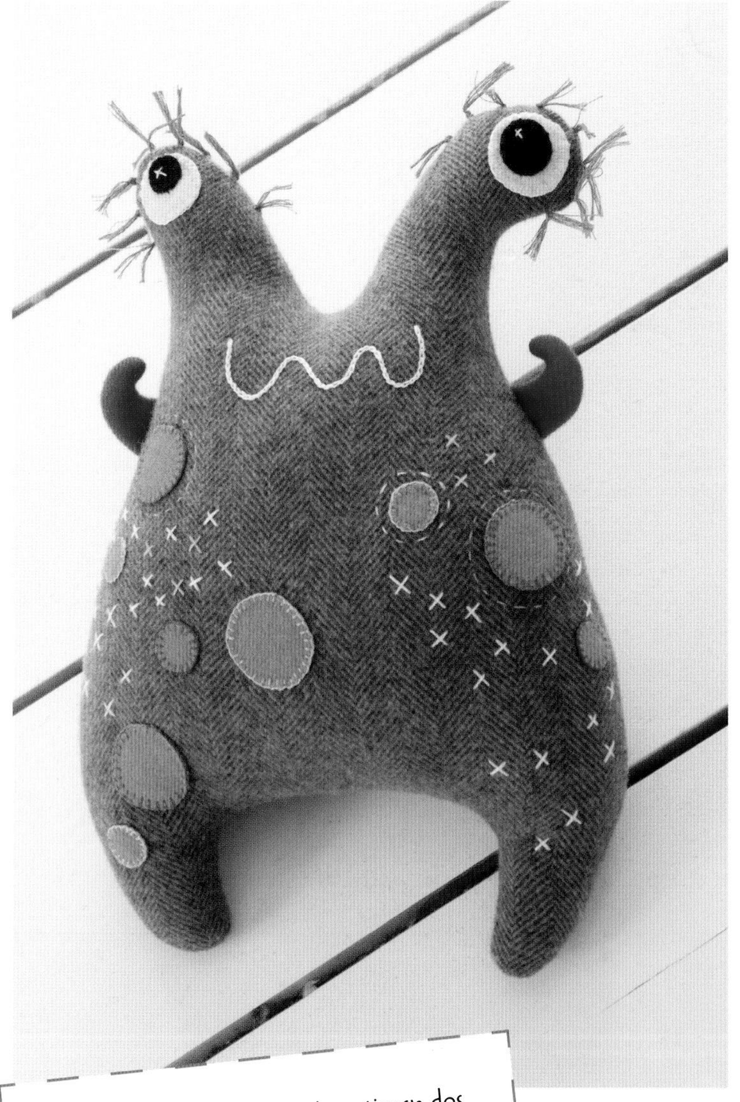

¿Quién necesita brazos cuando se tienen dos cuernos en forma de gancho? Se recortan de fieltro rojo vivo para dar al monstruo un aspecto de diablillo.

15 Poner las dos piezas del cuerpo una sobre otra, derecho con derecho. Guiándose por la línea de rotulador, recortar las dos capas del cuerpo a unos 1,3 cm por fuera de la línea. Antes de coserlas, situar los cuernos donde indica el patrón, entre las piezas del cuerpo, con el pico del cuerno hacia arriba y de forma que los cantos de los cuernos coincidan con los cantos de las piezas del cuerpo.

16 Hacer la costura a lo largo de la línea marcada, dejando una abertura para volver del derecho donde indica el patrón. Dar unos pequeños cortes en las curvas, cuidando de no llegar muy cerca de la costura para que no se abra.

17 Volver a Harry del derecho por la abertura, rellenarlo bien apretado con relleno para muñecos (página 110). Cerrar la abertura a punto escondido (página 112).

18 Enhebrar una aguja de ojo grande con un hilo doble de seis hebras de hilo de bordar naranja. Dar una pequeña puntada a cada lado de la línea de costura, arriba de uno de los salientes de los ojos de Harry. Anudar el hilo con un nudo plano (página 109) y cortar las puntas de unos 2,5 cm para hacer los "pelos".

19 Repetir el paso anterior por la línea de costura hasta tener la cantidad de pelo que se desee. Añadir más pelo en el otro saliente del ojo de Harry.

El pelo de Harry es tan extravagante como su personalidad. Pero se hace muy fácilmente cosiendo y anudando unas 12 hebras de hilo de bordar y recortándolas a la medida. ¡Es un peinado tan divertido que engancha!

La oruga Alexander

Aquí llega… aunque tarde un poquito, el bueno de Alexander, la oruga que se desplaza con sus segmentos redonditos de cuerpo y patas, que alternan con yoyós de dibujos llamativos, mirando con sus grandes ojos y tratando de recordar a dónde va. Puede que sea un poquillo despistado y también lento, pero es muy guapo… todo lo guapo que puede ser un bicho.

Además de la consabida labor de cortar, coser y rellenar las piezas del patrón, la confección de Alexander requiere una sencilla técnica de fruncido para formar los yoyós de discos de tela, que luego se pasan por orden entre las secciones cuerpo/patas.

Se necesita

- 40 cm x todo el ancho de tela verde de topitos (secciones cuerpo/patas y cabeza)
- 30 x 30 cm de tela morada de topitos (antenas y nariz)
- Retales de fieltro blanco y negro (ojos)
- 15 discos de telas variadas, cortadas según el patrón del yoyó grande (página 120)
- 1 disco pequeño de tela con motivos, cortado según el patrón del yoyó pequeño (página 120)
- Retales de entretela termoadhesiva
- Hilo de bordar de seis hebras (mouliné): blanco, rojo
- Aguja de tapicería grande (con ojo muy grande)
- 3 m de cinta de trencilla de algodón de 6 mm
- Kit básico de herramientas (páginas 102-103)

Tamaño terminado: unos 40 cm de largo x 15 cm de alto

"¿Cómo he llegado aquí arriba?"

1 Dibujar los patrones de la sección cuerpo/patas, de la cabeza, ojo y pupila, nariz y antenas de Alexander (página 120), sobre un plástico para plantillas, copiando todas las marcas. Recortarlos por las líneas exteriores.

2 Doblar por la mitad la tela verde de topitos. Dibujar seis veces el contorno del patrón de la sección cuerpo/patas y una vez el de la cabeza, sobre la tela en doble. No recortar, porque habrá que coserlas antes.

3 Doblar por la mitad la tela morada de topitos. Dibujar dos veces el contorno del patrón de las antenas y una vez el de la nariz, sobre la tela en doble. No recortar, porque habrá que coserlas antes.

Puede parecer que con esas grandes antenas rizadas para guiarle, Alexander sabe siempre a dónde va, pero me temo que se ha vuelto a perder. Pero quedan vistosas… siempre que estén bien rellenas.

4 Pegar con la plancha la entretela termoadhesiva sobre el revés de los retales de fieltro blanco y negro. Dibujar el ojo y la pupila dos veces sobre cada pieza y recortar por las líneas dibujadas.

5 Coser a máquina las secciones cuerpo/patas por las líneas dibujadas, sin dejar abertura para volver del derecho. Coser las piezas de la cabeza de igual modo, sin dejar abertura para volver del derecho.

6 Coser las piezas de las antenas por las líneas dibujadas, dejando los extremos abiertos. Coser las piezas de la nariz, sin dejar abertura para volver del derecho.

7 Recortar todas las figuras a unos 6 mm por fuera de las costuras. Cortar una abertura para volver del derecho en una de las capas de cada sección cuerpo/patas, de la cabeza y de la nariz, donde se indica en los patrones. Volver las piezas del derecho por las aberturas.

8 Rellenar las secciones cuerpo/patas apretando bien el relleno para muñecos (página 110) y cerrar las aberturas a punto escondido (página 112). Rellenar la cabeza y la nariz de igual modo, cerrando las aberturas a punto escondido.

9 Rellenar las antenas apretando bien hasta la abertura de los extremos. Remeter los bordes de los extremos y coserlos cerrando la abertura. Siguiendo la técnica de Cosido de piezas a punto escondido (página 115), coser las antenas en lo alto de la cabeza, situándolas donde indica el patrón de la cabeza.

"Sígueme"

10 Coser a punto escondido la nariz en su sitio, sobre la cara, de modo que la abertura quede oculta contra la cara. La nariz se cose siguiendo su costura.

11 Pegar con la plancha los discos de los ojos y de las pupilas sobre la cabeza, retirando el papel protector de la entretela termoadhesiva. Con dos hebras de hilo de bordar blanco, hacer un festón abierto (página 107) alrededor de los ojos para asegurarlos. Con dos hebras de hilo de bordar rojo, dibujar la boca a punto atrás (página 106).

12 Para hacer los yoyós, colocar un disco grande de tela boca abajo sobre la superficie de trabajo. Doblar el borde de alrededor 6 mm hacia el centro. Hacer a mano una bastilla mediana (página 106) por el borde, sin rematar el hilo al final. Tirar del hilo sin rematar para fruncir la tela por igual y hacer entonces un nudo (ver diagrama más abajo). Repetir con los otros 14 discos y con el disco pequeño de tela.

Pobre Alexander, tiene carita de estar perdido, ¿verdad? La expresión se debe a la boca ligeramente ladeada, que se borda fácilmente a pespunte.

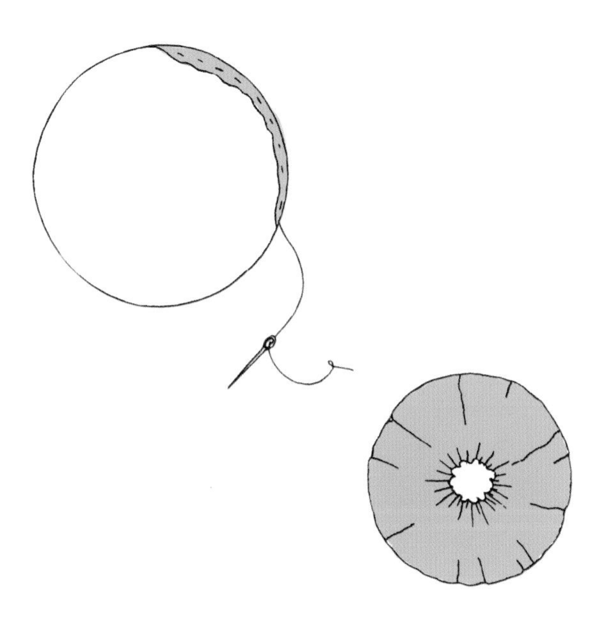

13 Con rotulador de tinta no permanente, dibujar las marcas de enfilado de las secciones cuerpo/patas indicadas en el patrón, que es por donde se va a pasar la trencilla de algodón. Marcar los puntos correspondientes en cada uno de los 15 yoyós grandes.

14 Enhebrar en la aguja de tapicería grande la cinta de trencilla de algodón en doble y pasarla por la sección cuerpo/patas, solo en el lado derecho marcado. Pasar ahora la cinta de trencilla por el lado derecho marcado de tres yoyós grandes. Enfilar la siguiente sección cuerpo/patas y, seguidamente, otros tres yoyós grandes.

15 Seguir enfilando las demás secciones cuerpo/patas y yoyós por las marcas del lado derecho.

16 Al llegar al final, pasar la cinta de trencilla por las marcas del lado izquierdo de cada sección cuerpo/patas y yoyós. Tirar con fuerza de todas las piezas para apretarlas una contra otra y anudar las puntas de la trencilla con un nudo plano bien apretado.

A lo mejor es un poco lento de movimientos, pero Alexander lo compensa con la flexibilidad de su cuerpo. Y es porque las secciones cuerpo/patas y los discos de tela fruncidos intermedios están ingeniosamente enfilados con una cinta de algodón.

17 Coser a punto escondido el yoyó pequeño al final del cuerpo de Alexander para tapar la cinta de trencilla de algodón.

18 Coser a punto escondido la cabeza de Alexander en su sitio, al otro extremo del cuerpo, tapando al mismo tiempo el nudo de la cinta de trencilla de algodón.

Como el trasero de Alexander va a verse mucho tiempo mientras se retira despacito al atardecer, hay que adornarlo con una rosa de tela, que al mismo tiempo cumple la función práctica de ocultar la cinta de trencilla de algodón.

La osita panda Lou-Lou

Si no haces ruido, podrás ver a la osita panda Lou-Lou: es muy tímida y se siente incómoda con los extraños. Pero ¿no está graciosa, o seria, según se mire, con su vestido y su pantalón de lunares, a juego con las manchas de sus ojos? También, hay que reconocerlo, los pies de paloma y los brazos en forma de plátano le dan un aire simpático, pero no te rías de ella, por favor.

Además de los procesos normales de confección de muñecos y bordado, hay que entretenerse en hacer el vestido de los domingos de Lou-Lou, con un fruncido a máquina para darle vuelo.

Se necesita

- 30 cm x el ancho de un tejido de lana rosa (cuerpo, piernas y brazos)
- 5 x 10 cm de fieltro negro, blanco y rojo (ojos y nariz)
- 20 cm x el ancho de una tela negra con lunares pequeños blancos (delantal)
- 25 x 50 cm de tela negra con grandes lunares blancos (pantalón)
- 10 x 20 cm de entretela termoadhesiva
- Hilo de bordar de seis hebras (mouliné): negro, blanco y rojo
- Kit básico de herramientas (páginas 102-103)

Tamaño terminado: unos 40 cm de alto

"¿Tengo
que salir?"

1 Dibujar sobre plástico para plantillas todos los patrones de Lou-Lou, incluida la nariz, el ojo exterior e interior y la pupila (página 121), copiando todas las marcas, y recortarlos por las líneas dibujadas.

2 Doblar por la mitad el tejido de lana rosa. Dibujar una vez el patrón del cuerpo y dos veces los de los brazos, piernas y orejas, sobre la tela en doble. No recortarlas, porque habrá que coserlas antes.

3 Pegar la entretela termoadhesiva sobre el revés de las piezas de fieltro negra, blanca y roja. Dibujar el contorno de las plantillas del exterior del ojo y de la pupila dos veces cada una sobre el fieltro negro. Repetir con la plantilla del ojo interior sobre el fieltro blanco. Recortar por las líneas dibujadas. Dibujar la plantilla de la nariz una vez sobre el fieltro rojo y recortar por la línea.

Lou-Lou ha salido del sotobosque y está sentada en un precioso sillón de diseño sobre el que destaca su bonito vestido. Para que resulte más fácil, primero se rellenan las piernas y después se cosen al cuerpo antes de rellenar este.

4 Coser a máquina las piezas del cuerpo, siguiendo la línea dibujada, dejando abierta la parte inferior. Coser los brazos y las piernas de igual modo, dejando los extremos abiertos para volver del derecho. Coser las orejas por las líneas dibujadas, dejando las aberturas indicadas en el patrón. Recortar todas las piezas a unos 6 mm por fuera de las costuras. Volver las piezas del derecho.

5 Rellenar las piernas (página 110) apretando el relleno para muñecos hasta unos 2,5 cm de la abertura de arriba. Insertar las piernas en el cuerpo siguiendo la técnica de Insertar las piernas (página 113). Rellenar el cuerpo apretando bien. Coser a punto escondido la abertura entre las piernas (página 112).

6 Rellenar los brazos apretando bien, hasta unos 2,5 cm de la abertura de arriba. Remeter los bordes y coser la abertura a punto escondido. Coser a punto escondido los brazos a los costados del cuerpo, donde indica el patrón.

7 Doblar hacia dentro los cantos de las orejas y coser la abertura. Coser las orejas a punto escondido sobre la cabeza de Lou-Lou, donde indica el patrón.

8 Colocar los ojos y la nariz en su sitio y pegarlos con la plancha sobre la cabeza de Lou-Lou retirando el papel de la gasilla. Con dos hebras de hilo de bordar negro, hacer un festón abierto (página 107) alrededor de los ojos exteriores para asegurarlos. Repetir con los ojos interiores, utilizando hilo de bordar blanco, y luego con las pupilas, utilizando hilo de bordar negro. Hacer sobre las pupilas un Punto de Cruz con hilo blanco (página 107). Con dos hebras de hilo de bordar rojo, dibujar una línea debajo de la nariz de Lou-Lou a pespunte, y la boca a punto de satén (páginas 106-107).

LA ROPA DE LOU-LOU

1 Cortar dos rectángulos de tela de lunares pequeños para el delantal, de 33 x 18 cm cada uno.

2 Doblar el resto de la tela de lunares por la mitad, derecho con derecho, y dibujar el patrón del cuerpo una vez sobre la tela en doble.

3 Seleccionar la puntada más larga en la máquina de coser y hacer una costura a lo largo de un borde de 33 cm en uno de los rectángulos, sin rematar el hilo al final. Tirar del hilo sin rematar para fruncir la tela por igual hasta que se ajuste al borde inferior de una de las piezas del cuerpo. Repetir con el otro rectángulo de tela.

4 Coser a máquina los rectángulos fruncidos, cada uno a un borde inferior del cuerpo del vestido, derecho con derecho, y a 6 mm del canto. Abrir y planchar.

Consejo

Asegurarse de colocar las aplicaciones de los ojos de Lou-Lou de forma asimétrica para que tenga una expresión facial más convincente.

Parece un poco distraída (o casi bobalicona), ¿verdad? Esta expresión se logra combinando la forma "caída" de las aplicaciones de los ojos con los bordados que dibujan la línea y el punto de la boca.

"¿De verdad
parezco
boba?"

5 Colocar una de las piezas del vestido sobre la otra, derecho con derecho, y hacer una costura a máquina por arriba de la manga hasta el escote, como indica el patrón del cuerpo. Coser la manga por debajo, desde el borde inferior hasta arriba, y seguir por el costado del vestido hasta el bajo.

6 Doblar hacia dentro el bajo del vestido unos 6 mm y plancharlo antes de coserlo en su sitio. Volver el vestido del derecho y plancharlo. Doblar hacia dentro el borde de las mangas unos 1,3 cm y plancharlo.

7 Ponerle el vestido a Lou-Lou. Con seis hebras de hilo de bordar, hacer una bastilla mediana (página 106) alrededor del escote, sin rematar el hilo al final. Tirar del hilo sin rematar para fruncir la tela por igual y anudar el hilo para afianzarlo. Fruncir los bordes de las mangas de igual modo.

8 Doblar por la mitad la tela de lunares grandes. Dibujar una vez el contorno de la plantilla del pantalón sobre la tela en doble y recortar por la línea exterior.

El vestido de niña de Lou-Lou, fruncido a mano en el cuello y los puños, crea un divertido contraste con sus grandes brazos y piernas, tan torpones.

Consejo

Dar una puntada al pantalón para sujetarlo al cuerpo, ¡no se le vaya a caer!

9 Colocar las piezas del pantalón una sobre otra, derecho con derecho, y hacer una costura a máquina en los dos tiros. Unir la costura del tiro delantero con la de la espalda y coser la pernera de una pierna hasta el tiro y bajar por la otra. Volver del derecho. Doblar hacia el revés el bajo de las perneras 6 mm dos veces y planchar. Coser el dobladillo.

10 Doblar hacia el revés el borde de la cintura unos 1,3 cm. Con hilo fuerte, hacer a mano una bastilla mediana alrededor de la cintura, sin rematar el hilo al final. Ponerle el pantalón a Lou-Lou. Tirar del hilo sin rematar para fruncir la tela por igual y hacer un nudo para afianzar.

Para destacar un poco más el aire desgarbado de Lou-Lou, se le deja el pantalón suelto y amplio, sin ceñir a las piernas y asomando por debajo del primoroso vestido.

El león Preston

Venid todos, el león Preston nos va a dar una charla... larga y erudita, así que poneos cómodos. Sus proporciones lo indican: no hay más que ver el tamaño de su cabeza. Pero ¿es señal de mucha materia gris o de cabezonería? Un poco de todo, probablemente. Y aunque es bajito, Preston se va por las ramas hablando. Como ha tomado asiento, la charla puede durar bastante.

Se necesita

- 25 cm x el ancho de una tela de vichy marrón claro (cuerpo)
- 15 x 15 cm de tela de dibujo contrastado (tripa y nariz)
- 6,5 cm x el ancho de una tela naranja (melena y punta de la cola)
- Retal de fieltro o tela de lana negra (ojos)
- 10 x 15 cm de entretela termoadhesiva
- Hilo de bordar de seis hebras (mouliné): naranja, negro, blanco
- 2 botones naranja grandes, de 2,5 cm de diámetro
- 2 botones naranja pequeños, de 1,75 cm de diámetro
- Kit básico de herramientas (páginas 102-103)

Tamaño terminado: unos 25 cm de alto

"¡Así de
grande era!"

20

La mente clara de Preston combina bien con su aspecto "calibrado". Elegir una tela que haga un marcado contraste para la tripa y la nariz, como la de dibujo métrico de este modelo, pero incluyendo un elemento de unión, como el dibujo de cuadros en este caso.

1 Dibujar sobre plástico para plantillas todos los patrones de Preston, incluidos los ojos, la nariz y la tripa (página 124), copiando todas las marcas. Recortarlos por las líneas exteriores.

2 Doblar por la mitad la tela de vichy marrón claro, derecho con derecho. Dibujar una vez el contorno de los patrones del cuerpo y de la cabeza y dos veces los de las orejas, brazos y piernas, sobre la tela en doble. No recortar, porque primero habrá que coser las piezas.

3 Para la cola de Preston, cortar una tira de vichy marrón claro de 10 x 20 cm y otra de tela naranja de 6,5 x 20 cm. Coser a máquina la tira naranja encima de la de vichy marrón claro, por el borde de 20 cm. Abrir y planchar.

4 Doblar por la mitad la pieza para la cola, derecho con derecho, de modo que casen las telas en horizontal. Planchar. Dibujar el patrón de la cola sobre la tela en doble, casando la línea del patrón con la costura entre las dos telas.

5 Coser a máquina los brazos, las piernas y las orejas por las líneas marcadas, dejando aberturas para volver del derecho, según se indica en los patrones. Coser el cuerpo por la línea dibujada, pero sin dejar abertura para volver del derecho. Coser la cola de igual modo, sin dejar abertura para volver del derecho.

6 Sin coser una parte con la otra, cortar la cabeza de la tela en doble, a 6 mm por fuera de la línea dibujada. Recortar las demás piezas a 6 mm por fuera de las costuras.

7 Volver del derecho los brazos, piernas y orejas por las aberturas. Para el cuerpo y la cola, cortar una abertura en una sola capa, donde indica el patrón, antes de volverlos del derecho.

8 Cortar una tira de tela naranja de 6,5 x 76 cm. Doblar la tira por la mitad a lo largo, revés con revés, y plancharla. Desdoblar la tira y coser los bordes cortos uno con otro, formando un aro. Volver a doblar la tira, revés con revés.

No es de extrañar que Preston domine a su público, con esa gran cabeza imponente enmarcada por un aro de tela contrastada fruncida a máquina, a modo de melena. Pero un mechón de "pelo" de hilo de bordar en el centro suaviza su aspecto fiero.

9 Seleccionar en la máquina de coser la puntada más larga y hacer una costura sobre los cantos del aro, sin rematar el hilo al final. Tirar del hilo sin rematar para fruncir la tela por igual hasta que el aro mida unos 46 cm de circunferencia.

10 Tomar las dos piezas de tela de la cabeza, marcar el lado del dorso con una "D" y reservar. Poner la pieza de la cara con el derecho hacia arriba, hilvanar las orejas en su sitio, como se indica en el patrón. Situar la parte de arriba de las orejas hacia el centro, casando los cantos de las orejas con el canto de la tela para la cara. Cubrir con la pieza para el dorso de la cabeza, derecho con derecho, con las orejas entre las dos capas.

11 Colocar con cuidado el aro de tela naranja, sujetándolo entre las dos capas de la cabeza. Los cantos del aro deben quedar alineados con los cantos de las telas de la cabeza. Hilvanar en su sitio.

12 Hacer a máquina la costura sobre la línea marcada en la tela de la cabeza, cosiendo las orejas y la melena al mismo tiempo, pero sin dejar abertura para volver del derecho.

13 Cortar una abertura donde indica el patrón, solo en el dorso de la cabeza (la capa marcada con una "D"). Volver la cabeza del derecho para la abertura.

14 Rellenar la cabeza apretando el relleno para muñecos (página 110) y cerrar la abertura a punto escondido (página 112). Rellenar los brazos, las piernas, el cuerpo y la cola apretando bien el relleno para muñecos y luego coser todas las aberturas para cerrarlas.

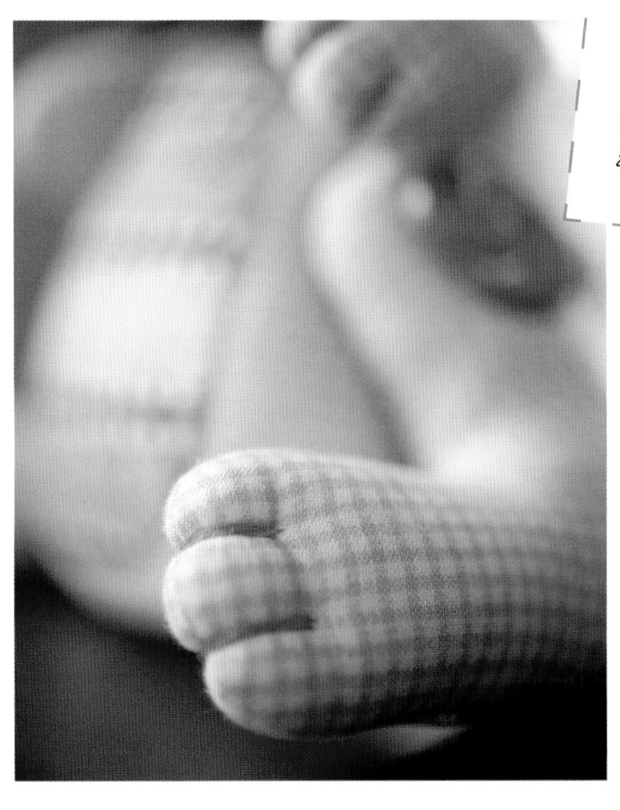

Nuestro jefe león está impecable hasta la punta de los dedos... ¡hasta las garras! Unas simples puntadas largas crean la impresión convincente de unas manos auténticas.

Uno de los rasgos que definen a Preston es el parche de la tripa, que le da un aspecto sofisticado y serio. Un festón abierto bien visible añade el toque definitivo perfecto.

RASGOS DISTINTIVOS DE PRESTON

1 Con seis hebras de hilo de bordar naranja, dar dos puntadas largas en los extremos de las piernas y de los brazos para figurar las "manos".

2 Dibujar una vez el contorno de los patrones de la tripa y de la nariz sobre el lado de papel de la entretela termoadhesiva. Recortar las piezas a 6 mm por fuera de las líneas dibujadas.

Consejo

Utilizar la técnica de nudo escondido (página 109), para empezar y terminar el hilo al coser las manos de Preston.

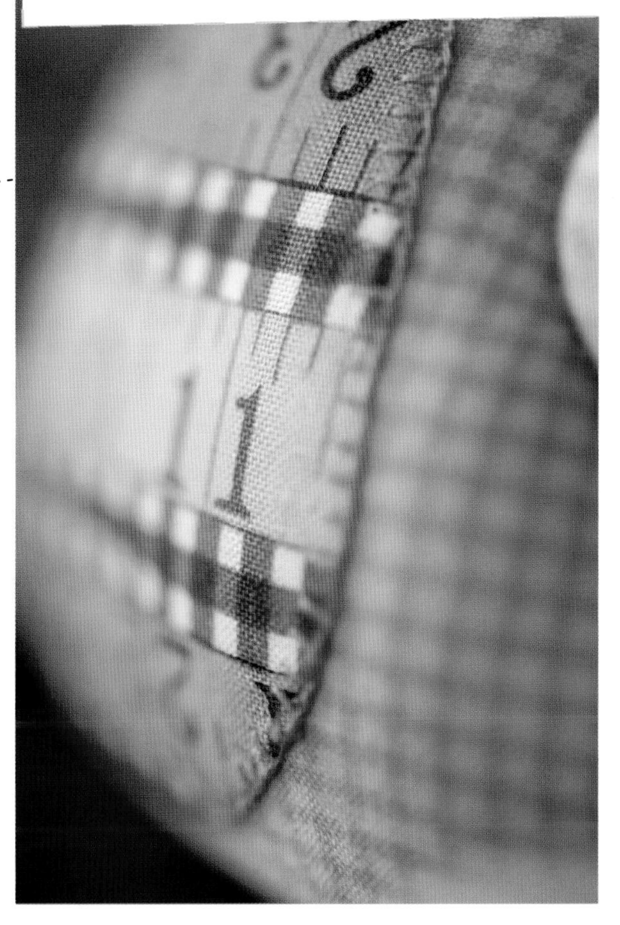

3 Pegar la tripa y la nariz sobre el dorso de la tela contrastada y los ojos sobre el revés del fieltro negro. Recortar las figuras. Retirar el papel de protección de la tripa y colocarla sobre el delantero del cuerpo (donde se encuentra la abertura). Pegarlo con la plancha. Retirar el papel de protección de la nariz y de los ojos y colocarlos sobre el delantero de la cabeza, donde indica el patrón. Pegarlos con la plancha.

4 Con dos hebras de hilo de bordar de color a tono, hacer un festón abierto (página 107) alrededor de la tripa, de la nariz y de los ojos. Con hilo de bordar blanco, hacer un Punto de Cruz (página 107) en cada ojo, como indica el patrón.

5 Con 12 hebras de hilo de bordar naranja, dar una pequeña puntada en lo alto de la cabeza de Preston, en el centro de donde nace la melena. Hacer un nudo plano (página 109) y recortar las puntas a unos 2,5 cm de largo.

6 Marcar la boca como se indica en el patrón, con rotulador de tinta no permanente. Con dos hebras de hilo de bordar negro, hacer una cadeneta sobre las líneas (página 106).

7 Colocar la cabeza sobre el cuerpo casando las dos aberturas. Siguiendo la técnica de Cosido de piezas a punto escondido (página 115), hacer un punto escondido para coser la cabeza en su sitio, cosiendo un círculo de unos 5 cm de diámetro alrededor de la costura del cuello.

8 Con los botones grandes, coser las piernas a los lados del cuerpo de Preston, siguiendo la técnica de Unir con botones (página 114). Con los botones pequeños, coser los brazos a los lados del cuerpo de Preston de igual modo.

Nuestro conferenciante Preston tiene una mirada serena e impersonal, con la expresión adecuada para hablar en público. ¿Llegará a ser presentador de TV? Una sola cruz blanca en cada parche negro de los ojos logra la mirada adecuada.

9 Dar la vuelta a Preston y colocar la cola en la espalda del cuerpo, de modo que la abertura para volver del derecho quede en la espalda. Coser a punto escondido (página 106) los 4 cm del extremo de la cola para afianzarla.

Como Preston pasa casi todo el tiempo sentado, pontificando, la cola queda claramente levantada. Para añadir interés visual, lleva la punta de un color contrastado: para ello se cosen dos piezas de telas distintas antes de recortar la cola.

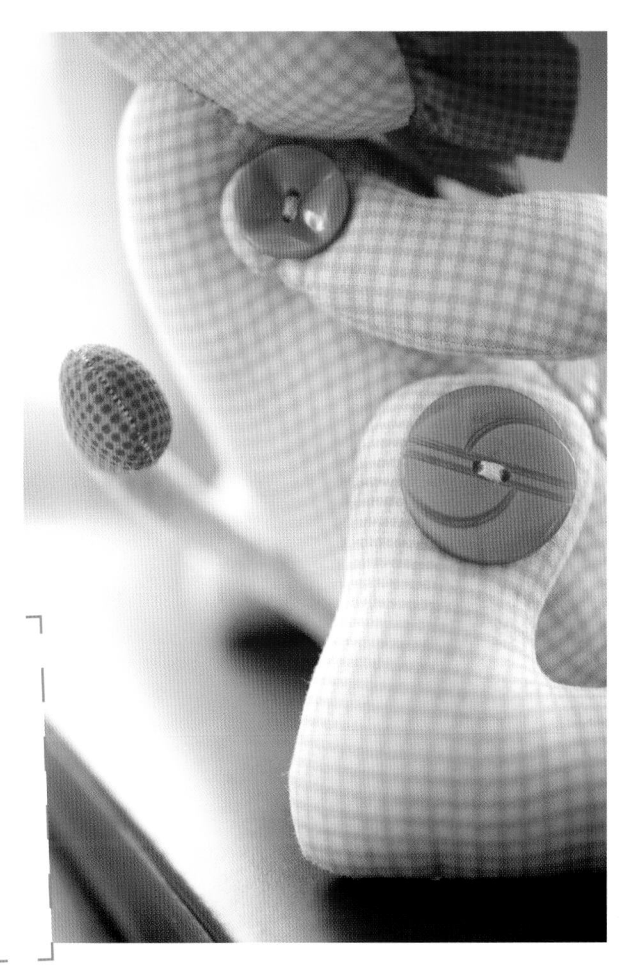

Aunque lo fundamental en Preston es el intelecto, le gusta utilizar los brazos y las piernas para dar más énfasis a su mensaje. Por eso van cosidos con botones, para una mayor movilidad; elegir botones de fantasía a tono con su aspecto.

La cebra Perla

Cuando hay una cámara en los alrededores, ahí está la cebra Perla, posando para un par de fotos con su último modelo. Bueno, hay que reconocer que el tipo la acompaña: está impresionante con esas rayas. Y además va a la última moda, con ese delantal rojo y su blusa tan estilosa.

La confección de Perla presenta un gran interés porque, además de las técnicas habituales de muñecos, incluye la realización de vestidos, poniendo un forro al delantal y haciendo un volante en el bajo.

Se necesita

- 35 cm x el ancho de una tela de algodón de rayas negras y blancas (cuerpo, brazos y piernas)
- 5 x 10 cm de fieltro negro y blanco (ojos)
- 20 x 71 cm de tela de algodón de cuadritos blancos y negros (blusa)
- 30 x 61 cm de tela de algodón negra con flores (pantalón)
- 30 cm x el ancho de una tela de algodón roja (delantal)
- Un retal de entretela termoadhesiva
- Hilo de bordar de seis hebras (mouliné): blanco, negro
- 1 botón rojo de 2,5 cm de diámetro, optativo
- Kit básico de herramientas (páginas 102-103)

Tamaño terminado: unos 50 cm de alto

"Este es mi
lado bueno"

1 Dibujar sobre plástico para plantillas todos los patrones de Perla, incluido el ojo y la pupila (páginas 122-123), copiando todas las marcas. Recortarlos por las líneas dibujadas.

2 Doblar por la mitad, en horizontal, la tela de rayas negras y blancas, asegurándose de casar bien las rayas. Planchar. Dibujar una vez el contorno del cuerpo y dos veces los brazos, piernas y orejas, cada uno sobre la tela en doble. No recortar las piezas, porque habrá que coserlas antes.

3 Pegar con la plancha la entretela termoadhesiva sobre el revés de los retales de fieltro negro y blanco. Dibujar el ojo y la pupila dos veces y recortarlos por las líneas marcadas.

4 Coser a máquina las piezas del cuerpo por la línea dibujada, dejando una abertura abajo. Coser los brazos y las piernas de igual modo, dejando los extremos abiertos para volver del derecho. Coser las orejas por la línea, dejando la abertura indicada en el patrón.

5 Recortar las piezas a unos 6 mm por fuera de la costura y dar unos cortes en los bordes en curva. Volver las piezas del derecho.

6 Rellenar las piernas (página 110) apretando bien el relleno para muñecos hasta la línea indicada en el patrón. Hacer una costura a máquina en la línea de relleno. Situar las costuras de la parte inferior del cuerpo de Perla hacia el centro delantero y trasero. Siguiendo la técnica de Insertar las piernas (página 113), meter las patas en el cuerpo. Rellenar el cuerpo bien apretado. Coser la abertura entre las piernas a punto escondido (página 112).

Perla está orgullosa, y con razón, de su fino perfil, con sus orejas impecablemente fruncidas y el brillo de sus ojos, creado a Punto de Cruz estratégicamente situado.

7 Rellenar los brazos bien apretados hasta la línea de relleno indicada en el patrón y hacer una costura a máquina sobre esa línea. Doblar hacia dentro los extremos de los brazos y cerrar con una costura. Coser a punto escondido los brazos a los lados del cuerpo, donde indica el patrón.

8 Doblar hacia dentro los cantos de las orejas. Hacer a mano una bastilla mediana (página 106) por el borde inferior, pillando las dos capas, sin rematar el hilo al final. Tirar del hilo sin rematar para fruncir la tela por igual y coser las orejas en su sitio a punto escondido (página 115), como se indica en el patrón del cuerpo.

9 Pegar con la plancha los ojos en la cabeza de Perla donde indica el patrón del cuerpo, retirando el papel de la entretela. Con tres hebras de hilo de bordar blanco, hacer un festón abierto (página 107) alrededor de los ojos. Repetir para las pupilas, pero con hilo de bordar negro. Con hilo de bordar blanco, hacer un punto de cruz (página 107) sobre cada pupila.

LA BLUSA DE PERLA

1 Doblar por la mitad la tela para la blusa, derecho con derecho. Dibujar una vez el patrón de la blusa sobre la tela en doble y recortar por la línea marcada.

2 Coser a máquina las piezas de la blusa, dejando un margen de 6 mm, desde el final de la manga hasta el escote, a los dos lados, como indica el patrón. Coser luego desde el borde inferior de la manga hacia arriba y bajar por los costados hasta el final. Dar un corte en el margen de la axila y volver la blusa del derecho. Planchar.

3 Doblar unos 6 mm hacia el revés el borde del escote y planchar. Con seis hebras de hilo de bordar blanco, hacer a mano una bastilla mediana por el borde de las mangas, sin rematar el hilo. Ponerle la blusa a Perla y tirar del hilo sin rematar para fruncir las mangas y hacer un nudo fuerte.

Consejo

Si hiciera falta, dar unas pequeñas puntadas por encima, a cada lado del cuello de la blusa, para sujetar el escote doblado.

4 Con seis hebras de hilo de bordar blanco, coser un botón rojo en el delantero de la blusa, pasando las hebras por la blusa y parte del cuerpo y, de nuevo, por la blusa y por el botón. Hacer un nudo plano (página 109) para afianzarlo.

Perla ha elegido una blusa de cuadritos blancos y negros, lo que demuestra su gusto en el vestir porque va muy bien con sus rayas y ofrece un bonito contraste con el delantal rojo. Y también cuida los detalles, como se ve en las mangas de farol y en el broche de botón.

PANTALÓN DE PERLA

1 Doblar por la mitad la tela del pantalón. Dibujar el patrón una vez sobre la tela en doble y recortar por la línea marcada.

2 Poner las piezas del pantalón una sobre otra, derecho con derecho, y hacer a máquina la costura del tiro, dejando un margen de 6 mm. Unir las costuras del tiro del delantero y de la espalda y coser las perneras, desde el bajo de una hasta arriba y luego bajando hasta el final de la otra. Volver del derecho y planchar.

3 Doblar hacia el revés unos 1,3 cm del borde de la cintura y de las perneras. Hacer a mano una bastilla mediana alrededor de los bordes, sin rematar el final del hilo. Poner el pantalón a Perla y tirar de los hilos sin rematar para fruncir la tela por igual y hacer un nudo fuerte; dar una puntada en el cuerpo para mantener el pantalón en su sitio.

¡Ahora Perla puede enseñar el pantalón! Bueno, sin duda resulta muy vistoso con su estampado de flores sobre fondo negro, que coordina con la tela del cuerpo.

DELANTAL DE PERLA

1 Doblar por la mitad la tela del delantal y dibujar dos veces el patrón del delantal sobre la tela en doble. Coser a máquina dos piezas, derecho con derecho, por el centro del escote y por las sisas, como en el diagrama de más abajo. Repetir con las otras dos piezas. Dar unos cortes en las curvas de las sisas y del escote. Planchar.

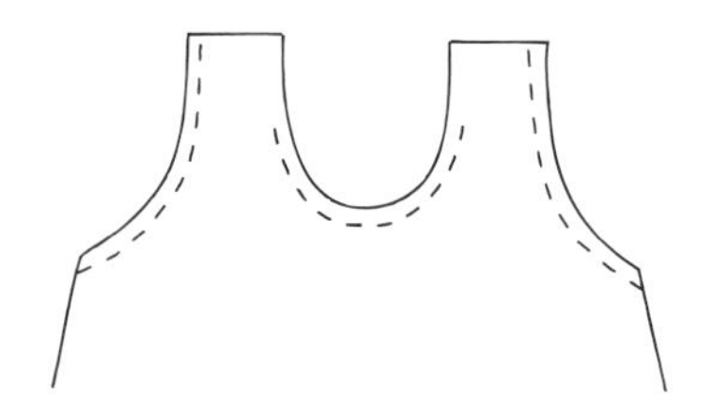

2 Abrir las piezas del delantero y de la espalda del delantal y ponerlas una sobre otra, derecho con derecho. Coserlas por los costados, desde el bajo del delantero hasta la sisa, y bajar por el forro hasta el bajo, como se indica en el diagrama de más abajo. Volver el delantal del derecho y empujar el forro para meterlo dentro del delantero.

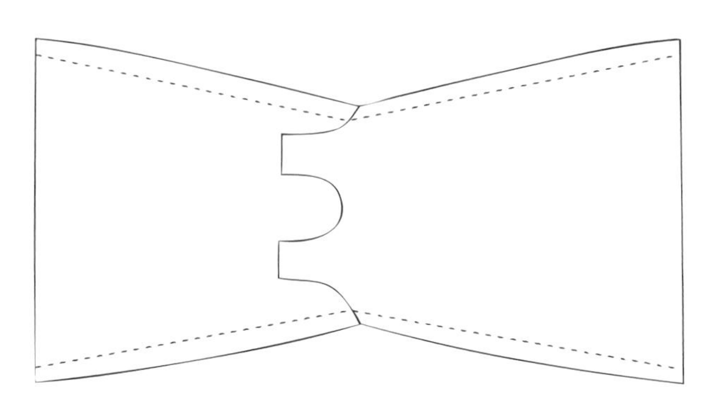

3 Coser los hombros del delantero del delantal con los de la espalda, abriendo el escote sin coser de cada sección y casando los cantos de las costuras de los hombros. Planchar. Doblar los cantos del escote hacia dentro y planchar. Hacer un pespunte por fuera en el escote, cerrando las aberturas al mismo tiempo.

4 Cortar una tira de tela roja de 4 cm x el ancho de la tela. Quitar los orillos y doblar la tira por la mitad (punta con punta). Coser las puntas una con otra para formar un aro. Doblarlo por la mitad, revés con revés, y plancharlo.

5 Seleccionar en la máquina la puntada más larga y hacer una costura alrededor del borde de los cantos, sin rematar el hilo al final. Tirar del hilo sin rematar para fruncir la tela por igual y que quede del tamaño del bajo del delantal.

6 Abrir el delantal de nuevo y coser a máquina el volante solo al delantero del delantal. Planchar el volante hacia abajo. Planchar el forro del delantal doblando el bajo hacia dentro 6 mm y coser el bajo a mano o a máquina sobre el bajo del delantero. Ponerle el delantal a Perla.

Consejo

Asegurarse de casar los cantos del volante con el canto del bajo del delantal antes de coserlos.

Perla está deseando exhibirse ante la cámara con su traje de diseño, luciendo lo bien rematado que está y lo bonito que queda el pantalón asomando por debajo del volante fruncido a máquina.

Perla está perfecta, se mire por donde se mire, ¡hasta sus crines tienen glamour! Y, sin embargo, es muy fácil lograr el efecto deseado con las hebras en doble (12 en total) del hilo de bordar, anudadas y recortadas.

CRINES DE PERLA

Para hacer las crines de Perla, enhebrar una aguja de ojo grande con seis hebras del hilo de bordar blanco y ponerlas en doble. Dar una puntada menuda a cada lado de la línea de costura, detrás de la cabeza de Perla. Anudar las hebras con un nudo plano (página 109) y cortar las puntas a unos 4 cm. Repetir a lo largo de la costura, como indica el patrón del cuerpo.

El dinosaurio Darcy

El dinosaurio Darcy no pasa inadvertido: es más grande de lo normal e inconfundible. Aquí está, paseando y luciendo su fantástico traje de dibujos coloristas, además de su magnífico trío de cuernos y su espléndido collarín ondulado. Darcy es, desde luego, un animal impresionante, ¡y lo sabe muy bien!

Se puede pasar un rato divertido buscando una tela estampada llamativa para el cuerpo de Darcy; cuanto más vistosa y loca, mejor. Pero es fácil de confeccionar porque es un juguete macizo, aunque hay que apretar mucho el relleno de las patas para que soporten el balanceo de su mole.

Se necesita

- 25 cm x el ancho de una tela azul con motivos (cabeza, cuerpo)
- 13 x 25 cm de tela roja con motivos (collarín)
- Retal de tela blanca lisa (cuernos)
- 13 x 13 cm de entretela fina termoadhesiva con pelito
- 25 cm de cinta de piquillo azul ancho
- Hilo de bordar de seis hebras (mouliné): negro
- Kit básico de herramientas (páginas 102-103)

Tamaño terminado: unos 40 cm de largo x 20 cm de alto

"¿A que tengo buen aspecto?"

Es fácil ver por qué a Darcy el dandy le encanta impresionar a los demás con su collarín. La cinta de piquillo grande que se utiliza para el borde es una forma rápida y fácil de lograr un remate de ondas iguales.

1 Dibujar todos los patrones de Darcy (página 117) sobre plástico para plantillas, copiando todas las marcas. Recortarlos por las líneas exteriores.

2 Doblar la tela azul de dibujos por la mitad, derecho con derecho. Dibujar una vez el contorno del cuerpo, de la cabeza y del interior de las patas, sobre la tela en doble. Recortar las piezas por las líneas marcadas. Copiar las marcas de las pinzas sobre el revés del interior de las patas.

3 Doblar por la mitad la tela roja, derecho con derecho. Dibujar el patrón del collarín una vez sobre la tela en doble. Pegar con la plancha la entretela termoadhesiva sobre el revés de la mitad de la tela doblada. Recortar las piezas del collarín por las líneas dibujadas. Tomar las dos piezas del collarín y ponerlas una sobre otra, derecho con derecho. Poner la cinta de piquillo entre las dos capas, empezando y terminando en la estrella indicada en el patrón, centrando el piquillo en el borde para que quede por igual. Prenderlo en su sitio. Coser el collarín, pillando el piquillo y dejando abierta la curva interior indicada en el patrón. Volver del derecho y planchar.

4 Tomar una pieza del cuerpo y una del interior de las patas y ponerlas una sobre otra, derecho con derecho. Se observará que la parte de arriba del interior de las patas es un poco más estrecha que las piezas del cuerpo, por lo que habrá que hilvanar los bordes en su sitio, casando los cantos. Coser a máquina, empezando la costura en el canto de la tela y metiéndose poco a poco hasta llegar a 6 mm del canto y luego volviendo a salir también poco a poco hasta el canto en el otro extremo, como indica el diagrama de más abajo.

Consejo

Si se quiere, se pueden hacer unos pespuntes alrededor del collarín, partiendo desde el centro hasta las ondas de la cinta de piquillo.

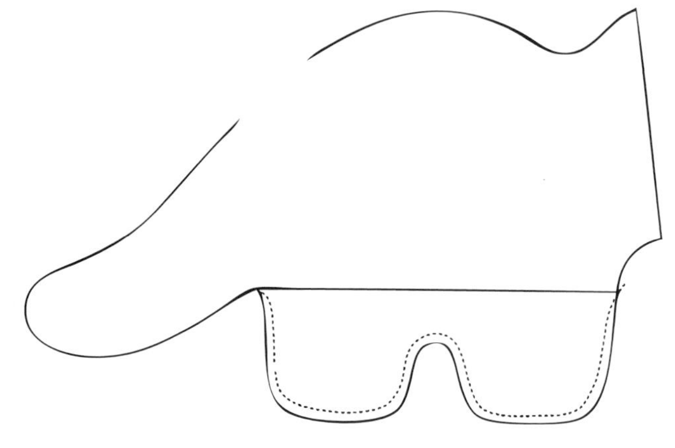

5 Repetir el paso 4 con el resto de las piezas del cuerpo y del interior de las patas. Dar unos cortes en las curvas de las patas. No volver del derecho.

Coser a máquina la pinza en su sitio, siguiendo las marcas. Repetir con las otras tres pinzas del interior de las patas. Recortar la tela sobrante de las pinzas.

6 Doblar por la mitad una de las secciones del interior de las patas, derecho con derecho, de modo que el doblez quede en el centro de una de las marcas de las pinzas.

7 Poner las dos piezas del cuerpo una sobre otra, derecho con derecho, con el interior de las patas entre medias. Coser a máquina el borde superior del cuerpo de Darcy, desde la abertura marcada en el patrón, hasta la línea superior del cuello, dejando solamente un margen de 6 mm.

Ya puede ser el animal mejor vestido del mundo, que Darcy no es un lagarto de salón, como queda claro en esta foto. Con la densidad adecuada del mejor relleno para muñecos, es todo lo macizo que puede ser un muñeco de tela.

8 Poner las dos piezas de la cabeza una sobre otra, derecho con derecho. Coserlas a máquina, desde la parte de arriba del cuello hasta la marca de estrella, solamente.

No es extraño que Darcy sea tan presumido: está guapísimo, se le mire por donde se le mire. El collarín se cose entre la cabeza y el cuerpo para que quede fuerte e impecable.

9 Casar las líneas del cuello de la cabeza y del cuerpo una sobre otra, derecho con derecho, asegurándose de que coincidan. Colocar el collarín entre las dos capas, de modo que el canto del collarín case con los cantos del cuello. Empezar a hilvanar las capas en el centro del collarín, casando las líneas de costura. Trabajando desde el centro, embeber las líneas del cuello sobre la curva del collarín, hilvanando las capas. Coser a máquina por las líneas del cuello, pillando el collarín en la costura.

10 Volver a colocar las piezas cabeza/cuerpo alisándolas una sobre otra, derecho con derecho, con el interior de las patas entre medias. Hilvanar las piezas, empezando en el extremo posterior de la abertura hasta la estrella marcada en la nariz (el final de la costura anterior). Al llegar a la sección del interior de las patas, comprobar que se están hilvanando los bordes superiores de las dos piezas del interior de las patas, derecho con derecho (quizá sea más fácil doblar las patas hacia arriba a cada lado del cuerpo, ver el diagrama de más abajo).

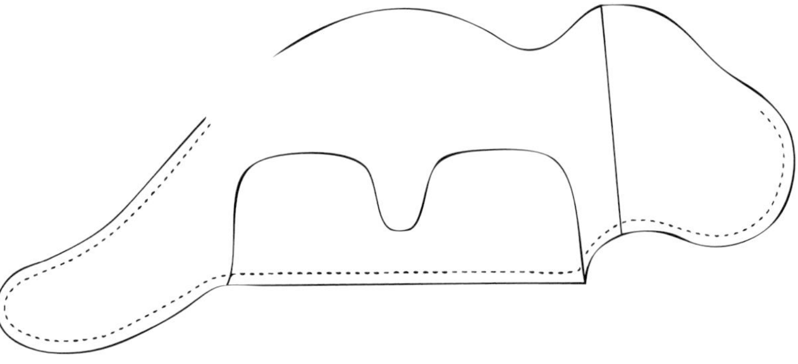

11 Coser el cuerpo, dejando sin coser la abertura para volver del derecho. Volver del derecho. Rellenar apretando muy bien el relleno (página 110) y hacer luego una costura escondida para cerrar la abertura (página 112), poniendo un poco más de relleno para que quede liso.

Para Darcy, sus cuernos son la principal característica, junto con el collarín, pero realmente, su vanidad no tiene límites. Como las piezas son estrechas, puede resultar difícil darles la vuelta, pero la técnica de la página 111 simplifica la tarea.

12 Doblar por la mitad la tela blanca, derecho con derecho. Dibujar una vez el contorno del cuerno pequeño para el hocico de Darcy y dos veces el cuerno grande para la cabeza de Darcy, sobre la tela en doble. Hacer una costura a máquina sobre las líneas marcadas, dejando los extremos abiertos para volver del derecho. Recortar los cuernos a unos 3 mm por fuera de la costura y volverlos del derecho, siguiendo la técnica de Volver piezas pequeñas (página 111).

13 Doblar hacia dentro, unos 6 mm, los extremos de los cuernos y rellenarlos apretando bien el relleno para muñecos. Siguiendo la técnica de Cosido de piezas a punto escondido (página 115), coser el borde doblado de los cuernos sobre la cabeza y el hocico de Darcy.

14 Con un rotulador de tinta no permanente o con un lápiz de mina dura, dibujar los círculos de los ojos en la cara de Darcy, como se indica en el patrón, y bordar el contorno a punto de satén (página 107) con dos hebras de hilo de bordar negro.

Darcy está tratando de llamar la atención para que todos le admiren aún más. Sus ojos, bordados a punto de satén con hilo de bordar negro, adquieren una profundidad sorprendente.

La ratita Mabel

Muy lejos de la idea de timidez que tenemos de una ratita, Mabel posee una personalidad fuerte, que se adivina por el tamaño de sus magníficas orejas en rosa y amarillo y por su espectacular cuerpo turquesa estampado, con un parche en la tripa de color contrastado. Esta ratita está lista para toda clase de juegos y diversiones.

Los brazos y pies de Mabel se rellenan y se hilvanan en el lugar que les corresponde en el cuerpo, antes de coser este con la cabeza. Un disco de cartón grueso metido en la base del cuerpo de Mabel, le permite sostenerse firmemente sobre una superficie plana y realzar su naturaleza robusta.

Se necesita

- 20 cm x el ancho de una tela azul de flores (cuerpo)
- 13 x 13 cm de tela amarilla con motivos (parche de la tripa, interior de las orejas)
- 13 cm x el ancho de una tela rosa con motivos (pies, orejas, nariz)
- 13 x 13 cm de entretela termoadhesiva
- 13 x 25,5 cm de entretela fina termoadhesiva con pelito
- 10 x 10 cm de cartón grueso
- Hilo de bordar de seis hebras (mouliné): negro, azul
- 18 cm de cordón de algodón de color coordinado (cola)
- Kit básico de herramientas (páginas 102-103)

Tamaño terminado: 21 cm de alto

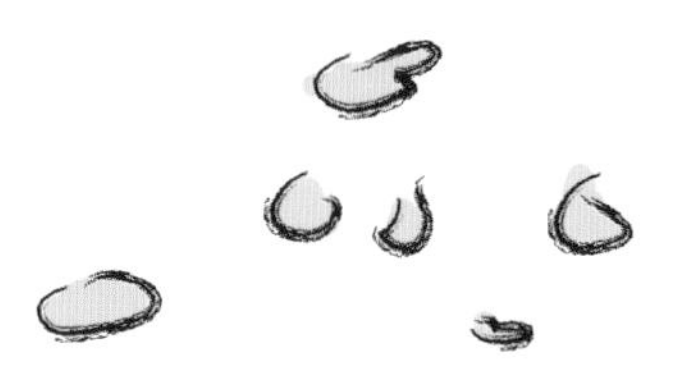

"¡Vamos
a jugar!"

1 Dibujar sobre un plástico para plantillas los patrones de Mabel (página 119), copiando todas las marcas. Recortarlos por las líneas exteriores.

2 Doblar por la mitad la tela azul de flores, derecho con derecho. Dibujar dos veces el contorno del patrón del cuerpo, una vez el de la cara y una vez el de la parte trasera de la cabeza, sobre la tela en doble, y recortarlos. Desdoblar el resto de la tela, dibujar el patrón de la base y recortarlo.

3 Tomar una de las piezas de la cara y coser la pinza por el revés de la tela, donde se indica, y planchar. Repetir con la otra pieza de la cara y con las dos piezas de la trasera de la cabeza.

4 Colocar las dos piezas de la cara una sobre otra, derecho con derecho, casando los cantos y las pinzas. Hacer una costura a máquina por el centro de la cara, dejando un margen de costura de 6 mm. Repetir con las piezas de la trasera de la cabeza.

5 Poner las dos piezas del cuerpo una sobre otra, derecho con derecho. Hacer un nudo en un extremo del cordón de algodón. Situarlo entre las dos piezas del cuerpo, de modo que quede a unos 2,5 cm del borde inferior y que el extremo sin nudo coincida con los cantos en el borde central del cuerpo. Hacer la costura del centro del cuerpo, pillando el cordón para formar la cola. Repetir con las otras dos piezas del cuerpo (sin cordón) para el delantero.

6 Cortar una pieza de tela amarilla con motivos que mida 7,5 x 7,5 cm y, sobre el revés, pegar con la plancha la entretela termoadhesiva. Dibujar la plantilla de la tripa sobre el lado del papel y recortar. Centrar la tripa sobre el delantero del cuerpo, retirar el papel y pegarla en su sitio con la plancha. Coser a máquina la aplicación (página 108) para afianzarla.

Mabel se siente legítimamente orgullosa de su hermosa cola, por eso no le gusta que le tiren de ella, aunque, por si alguien se siente tentado a hacerlo, está bien cosida en la costura central de la espalda. Elegir un cordón en un tono a juego con la tela del cuerpo.

7 Doblar por la mitad la tela rosa con motivos, derecho con derecho. Dibujar dos veces sobre el revés de la tela el contorno de los patrones del pie y del brazo. Hacer a máquina una costura por las líneas dibujadas, dejando los extremos abiertos para volver, como se indica. Recortar las figuras a unos 6 mm de la costura. Volverlas del derecho. Rellenar los brazos y los pies apretando el relleno para muñecos (página 110), dejando los extremos abiertos sin apretar. Cerrar las aberturas con una bastilla.

"... ahora no me ves"

8 Situar un brazo, con el derecho hacia arriba, sobre el lado izquierdo del delantero del cuerpo, también con el derecho hacia arriba, de modo que la mano quede mirando hacia la tripa. El canto superior del brazo debe casar con el canto superior del cuerpo y quedar a unos 1,3 cm del borde izquierdo del delantero. Hilvanarlo en su sitio. Repetir con el brazo derecho (ver diagrama a la derecha).

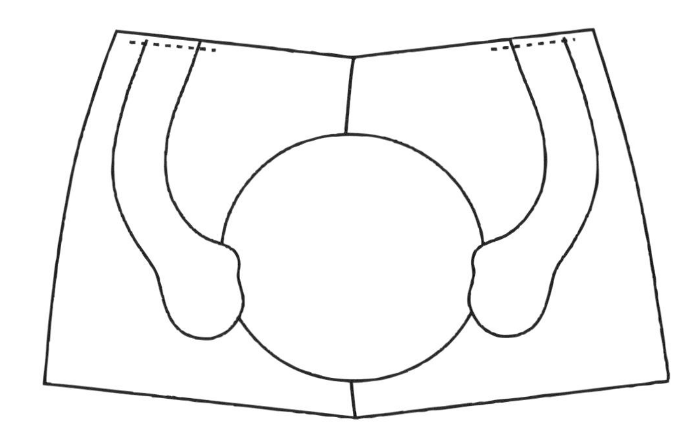

9 Colocar un pie sobre el lado izquierdo del delantero del cuerpo, derecho con derecho, de modo que el pie mire hacia la tripa. El canto del pie debe casar con el canto del cuerpo y quedar a unos 2,5 cm del borde izquierdo del delantero. Hilvanarlo en su sitio. Repetir con el pie derecho (ver diagrama a la derecha).

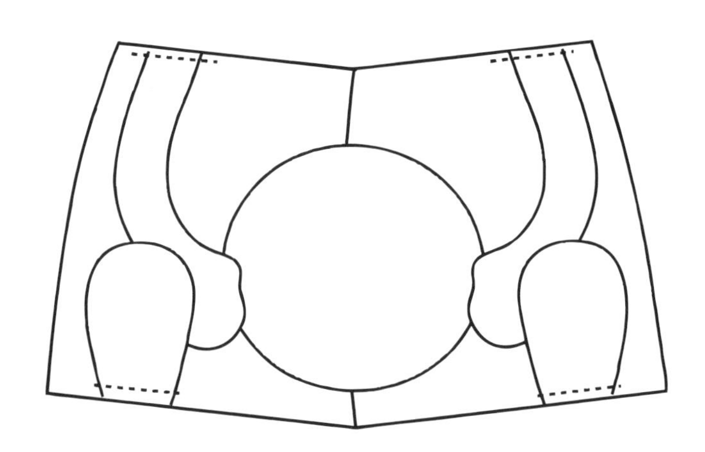

10 Poner la trasera del cuerpo y de la cabeza una sobre otra, derecho con derecho, de modo que casen los cantos en el cuello. Coserlos a máquina por la línea del cuello. Repetir con el delantero del cuerpo y la cara, comprobando que los brazos queden sujetos en la costura.

11 Poner el delantero y la espalda de Mabel uno sobre otro, derecho con derecho. Coser a máquina desde la parte inferior del cuerpo, subiendo por arriba de la cabeza y volviendo hasta abajo por el otro lado del cuerpo, dejando la parte inferior abierta para la base. No volver del derecho.

12 Tomar la base del cuerpo y colocarla en su sitio, derecho con derecho, y embebiéndola por igual en el borde del cuerpo de Mabel. Hilvanarla y luego coserla en su sitio desde un extremo de la abertura hasta el otro, según indica el patrón. Volver a Mabel del derecho por la abertura de la base.

13 Dibujar el patrón interior de la base sobre un cartón grueso y recortar. Introducir la base interna en el cuerpo de Mabel por la abertura y colocarla contra la base.

¿Se habrá pasado Mabel en sus juegos y estará rodando como una croqueta? Por qué no: ya se ve lo maciza que es por debajo. Le gusta revolcarse cuando el gato no anda cerca.

14 Manteniendo la base en su sitio, rellenar a Mabel apretando bien el relleno para muñecos. Coser la abertura a punto escondido (página 112).

15 Pegar con la plancha la entretela termoadhesiva sobre el revés de la tela amarilla restante. Dibujar dos veces sobre el papel de protección el patrón del interior de la oreja y recortarlo. Doblar el resto de la tela rosa con motivos, derecho con derecho. Dibujar dos veces el patrón de la oreja exterior y recortarlo. Tomar una de las piezas rosas de la oreja, retirar el papel protector de una de las piezas de las orejas internas y pegarla en su sitio con la plancha por el derecho. Coser a máquina la aplicación para afianzarla en su sitio. Repetir con la otra oreja.

16 Dibujar dos veces el patrón grande de la oreja sobre la entretela final termoadhesiva con pelito y recortarlo. Pegar sobre el revés de las piezas rosas de las orejas.

A Mabel se le adivina lo traviesa que es por su expresión decidida. Las enormes orejas le dan un aire muy divertido. Están reforzadas con entretela con pelito para asegurarse de que queden bien plantadas".

17 Poner una de las piezas de la oreja con interior sobre una con entretela, derecho con derecho. Coser la oreja dejando una abertura para volver del derecho, como se indica en el patrón. Dar un corte en las esquinas, volver del derecho y planchar. Repetir con la otra oreja.

18 Coser a mano con una bastilla mediana (página 106) el borde inferior de una oreja, sin rematar el hilo al terminar. Tirar del hilo sin rematar para fruncir la tela por igual y coser la oreja en su sitio a punto escondido (página 115), a un lado de la cabeza de Mabel. Repetir con la otra oreja.

Consejo

Es buena idea coser las orejas a punto escondido, primero por delante y luego por detrás, para que queden más firmes.

RASGOS DE MABEL

1 Marcar a lápiz los ojos de Mabel sobre la cara y luego bordarlos con dos hebras de hilo de bordar negro, a punto de satén (página 107).

2 Para el hocico de Mabel, cortar de la tela rosa con motivos un disco de unos 5 cm de diámetro. Hacer una bastilla a mano alrededor del disco, a unos 6 mm del canto, y tirar del hilo para fruncir la tela, como en el paso 18 de la página 66, y rellenar sin apretar. Doblar hacia dentro los cantos y colocar el hocico sobre la nariz de Mabel. Rellenando y frunciendo un poco más, coser a punto escondido (página 106) el hocico sobre la cara de Mabel.

3 Para los bigotes de Mabel, hacer un nudo con tres hebras de hilo de bordar azul, a unos 2,5 cm de la punta. Pasar la aguja por la cara de Mabel, de un lado a otro. Hacer otro nudo donde sale el hilo al otro lado y recortar las hebras a 2,5 cm del nudo. Repetir otras dos veces.

Consejo

Si se utiliza un estampado de flores grandes para el cuerpo, elegir una tela de estampado pequeño y de color que haga contraste para las demás partes y así lograr una mayor definición.

Con este hocico, Mabel podrá olfatear bien por dónde va, ayudada además por los bigotes. El hocico de Mabel es un simple disco de tela relleno y los bigotes son unas hebras de hilo de bordar.

La jirafa Gerbera

Los gatos son famosos por su curiosidad, pero ¿y las jirafas? Esta bonita e inquieta jirafa, llamada Gerbera, tiene sin duda un lado inquisitivo en su naturaleza, aunque siempre sale corriendo y saltando si las cosas se ponen feas como consecuencia de sus investigaciones.

Además de las técnicas de costura habituales, se utiliza un simple fruncido para lograr un buen efecto en las crines de Gerbera y para dar forma a sus orejas. Tiene manchas como sus primas salvajes, pero no le sirven para camuflarse porque su pelaje es un alegre muestrario de colores y dibujos.

Se necesita

- 15 cm x el ancho de una tela blanca con lunares (cascos, orejas, crines, cola)
- 40 cm x el ancho de una tela azul con motivos (cuerpo)
- 13 x 13 cm de tela de algodón lisa en rojo (cuernos)
- Hilo de bordar de seis hebras (mouliné): negro, azul
- 2 botones negros de 1,25 cm de diámetro (no utilizar si es para un niño pequeño)
- Kit básico de herramientas (páginas 102-103)

Tamaño terminado: 40 cm de alto

"¿Qué está pasando ahí fuera?"

1 Dibujar todos los patrones de Gerbera (página 116), sobre plástico para plantillas, copiando todas las marcas. Recortarlos por las líneas exteriores.

2 De la tela blanca de lunares, cortar una tira de 6,5 cm x el ancho de la tela. Poniendo derecho con derecho, coser a máquina la tira en el borde inferior de los 40 cm de la tela azul estampada y planchar. Doblar el panel de tela por la mitad, derecho con derecho, casando la tela y la costura.

3 Dibujar una vez el patrón del cuerpo y el del interior de las patas sobre el revés del panel de tela doblado, alineando la parte inferior de los patrones con el canto inferior de la tela blanca de lunares. Recortar por la línea exterior para tener dos piezas de cuerpo y dos del interior de las patas.

4 Poner una pieza de cuerpo sobre una del interior de las patas, derecho con derecho. Se verá que la parte de arriba del interior de las patas es algo más estrecha para la pieza del cuerpo, por lo que habrá que hilvanar los bordes casando los cantos.

5 Coser a máquina el interior de las patas al cuerpo, empezando justo en el canto de la tela y formando poco a poco un margen de costura de 6 mm y luego volviendo a reducir el margen hasta eliminarlo en el otro extremo, como se ve en el diagrama de más abajo. No coser los bordes inferiores de los cascos uno con otro. Recortar las esquinas y dar cortes en las curvas. Repetir con las otras piezas del cuerpo y del interior de las patas. Pero no volver las piezas del derecho.

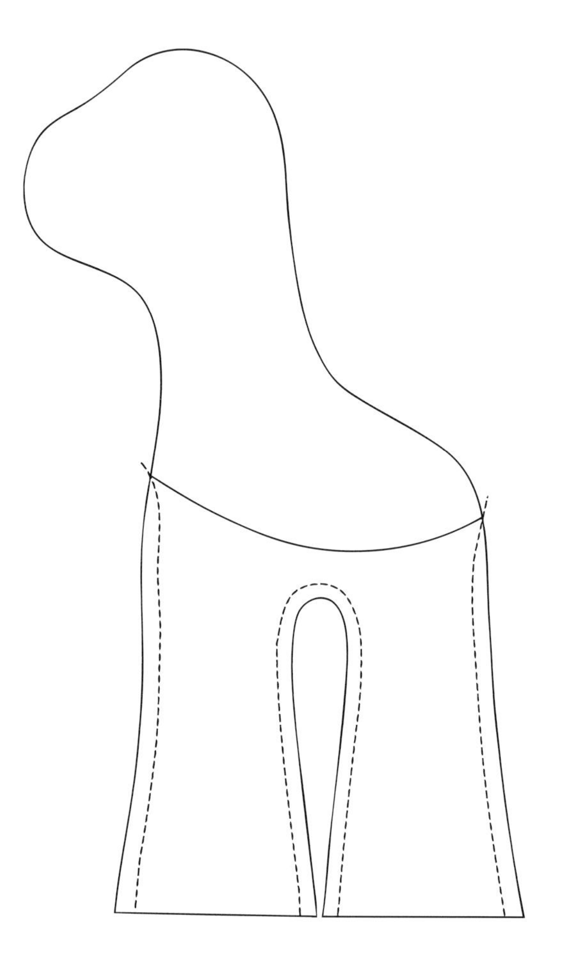

6 Dibujar cuatro veces el contorno del patrón de los cascos sobre el resto de la tela blanca con lunares y recortarlo. Tomar una de las bases de cascos y casarla, derecho con derecho, con la base de una de las patas de Gerbera. Cuando quede bien embebida, hilvanarla cuidadosamente en su sitio antes de coserla a máquina.

7 Para las crines, cortar una tira de tela blanca con lunares, de 4 x 50 cm. Doblarla por la mitad a lo largo, revés con revés, y plancharla. Hacer a mano una bastilla mediana (página 106) por los cantos de la tira doblada, sin rematar el hilo al final. Tirar del hilo para fruncir la tira por igual hasta que mida unos 25,5 cm de largo y coserla a máquina por el frunce para afianzarlo.

Aunque a veces se pasa de la raya, Gerbera tiene un carácter tan alegre que ¡hasta los cascos los lleva de colores vivos! Elegir una tela estampada que contraste vivamente con la tela del cuerpo, pero que lleve algún color parecido, como aquí.

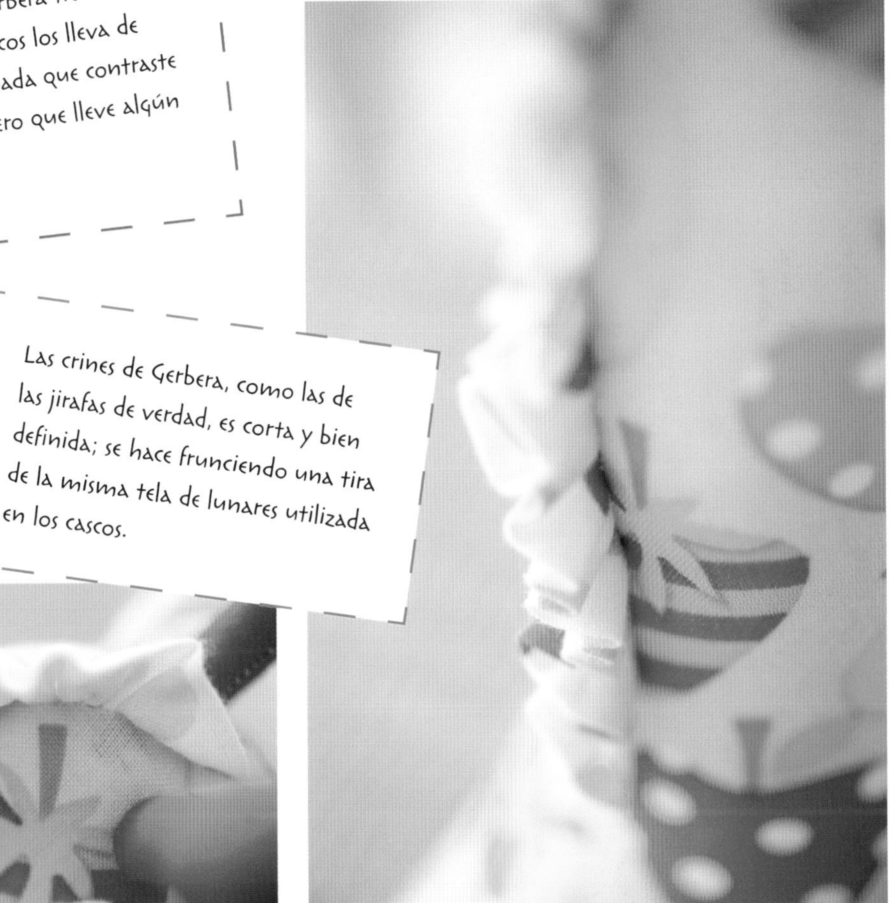

Las crines de Gerbera, como las de las jirafas de verdad, es corta y bien definida; se hace frunciendo una tira de la misma tela de lunares utilizada en los cascos.

8 Tomar una de las piezas del cuerpo y situar las crines sobre el cuello de Gerbera, derecho con derecho. El canto de las crines deberá coincidir con el canto del cuello, y las crines irán en disminución desde la nuca al principio y luego al final, como se ve en el diagrama de la derecha. Coser las crines a máquina en su sitio y recortar las puntas.

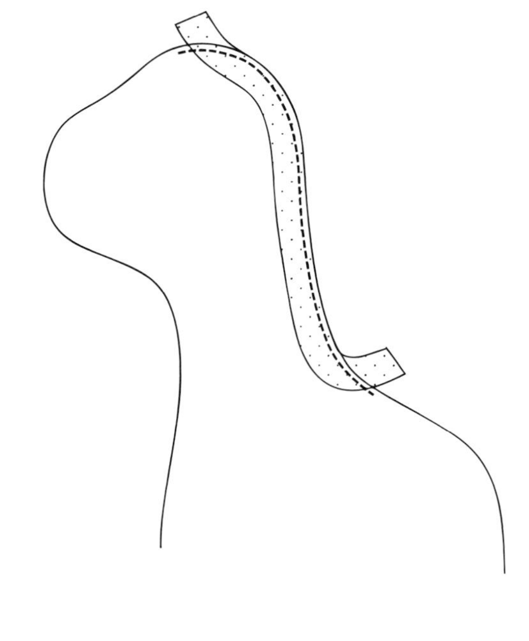

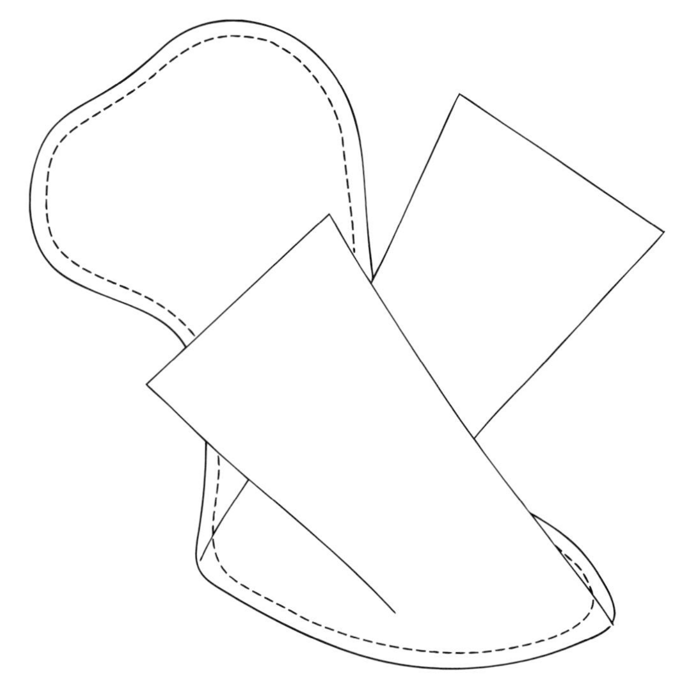

9 Poner las dos piezas del cuerpo una sobre otra, derecho con derecho, con el interior de las patas entre medias. Hilvanar las piezas del cuerpo una con otra, empezando por un extremo de la abertura para volver del derecho y asegurándose de hilvanar también los bordes superiores rectos del interior de las patas, derecho con derecho (ver diagrama a la izquierda).

10 Coser el cuerpo, dejando sin coser la abertura para volver del derecho. Dar unos cortes en las curvas y esquinas y volver del derecho.

11 Rellenar el cuerpo apretando bien el relleno para muñecos (página 110) y coser la abertura a punto escondido (página 112), rellenando un poquito más al coser.

"¡Me gustaría
ser un poquito
más alta!"

12 Dibujar dos veces el contorno del patrón de los cuernos sobre el revés de la tela roja lisa doblada por la mitad. Coser los cuernos por la línea dibujada, dejando los extremos abiertos para volver del derecho, como se indica en el patrón. Recortarlos a unos 3 mm por fuera de la costura. Volverlos del derecho y rellenarlos apretando bien.

13 Doblar hacia dentro los cantos de los extremos y luego, siguiendo la técnica de Cosido de piezas a punto escondido (página 115), coser los bordes sobre la cabeza de Gerbera. Coser un cuerno a unos 6 mm a la izquierda de donde empiezan las crines y el otro a igual distancia a la derecha de las crines, asegurándose de coserlos en redondo para mantener la forma redondeada de los cuernos.

14 Tomar la tela blanca con lunares restante y doblarla por la mitad, derecho con derecho. Dibujar dos veces la plantilla de las orejas sobre el revés y hacer una costura sobre las líneas dibujadas, dejando la parte inferior abierta como se indica en el patrón. Recortar las orejas a unos 6 mm por fuera de la costura. Dar cortes en las esquinas, volverlas del derecho y plancharlas.

Nuestra amiga la jirafa está siempre atenta a cualquier aventura, con las orejas y los ojos alerta, lista para entrar en acción. Las orejas fruncidas de Gerbera son de tela de lunares contrastada, mientras que los cuernos destacan en tela roja lisa. Para niños pequeños, los botones de los ojos se pueden sustituir por un bordado a punto de satén (página 107) o por discos de fieltro negro.

Consejo

Tirar bien del hilo al coser los botones de los ojos si se quiere que queden ligeramente hundidos.

15 Coser a mano y tirar del hilo para fruncir los bordes inferiores de las orejas, como en el paso 7 de la página 71. Coser las orejas a punto escondido a los lados de la cabeza de Gerbera, situándolas a unos 6 mm de los cuernos.

16 Con seis hebras de hilo de bordar negro, coser un botón negro a cada lado de la cabeza para hacer los ojos. Se puede hacer con la técnica de Unir con botones (página 114), atravesando la cabeza.

Gerbera mueve la cola con entusiasmo, ante la perspectiva de descubrir algo interesante en sus exploraciones. Un fleco de hilo de bordar azul forma una graciosa borla en la punta de la cola, bien rellena.

17 Para hacer la cola, cortar dos piezas de tela blanca con lunares, de 4,5 x 2,5 cm. Tomar unos diez trozos de hilo de bordar azul de 8 a 10 cm y colocarlos entre las dos piezas de tela, derecho con derecho. Coser la cola por los dos lados largos y uno de los cortos, sujetando los trozos de hilo, como en el diagrama de arriba. Volver del derecho, rellenar la cola y recortar los hilos al tamaño que se desee. Doblar los cantos de la tela hacia dentro de la cola y coserla a punto escondido en la parte posterior de Gerbera.

El alienígena Alvin

Mira quién acaba de aterrizar procedente de un lejano planeta. Es Alvin, un personaje mucho más colorista que el típico hombrecito verde, y simpático y cariñoso como todo buen extraterrestre. Pese a su extraña cabeza con un ojo de más, está dispuesto a caminar con sus pies tan raros y a abrazarte con sus manos de tres dedos.

Alvin es fácil de confeccionar: el cuerpo se corta de una pieza de tela que incorpora tiras cosidas de varias telas contrastadas, que forman su torso tan llamativo. Unos simples redondeles de fieltro de lana dibujan sus ojos saltones y unos acertados puntos de bordado marcan la divertida nariz y la boca en dientes de sierra por la que asoma la lengua roja.

Se necesita

- 20 cm x el ancho de una tela verde con motivos (cuerpo, brazos, piernas)
- 3 tiras de tela con motivos que hagan contraste, de 4 x 50 cm cada una (cuerpo)
- Retalitos de fieltro: blanco, negro (ojos)
- 13 x 13 cm de entretela termoadhesiva
- Hilo de bordar de seis hebras (mouliné): rojo, negro, blanco
- Kit básico de herramientas (páginas 102-103)

Tamaño terminado: 28 cm de alto

"¡Vengo en
son de paz!"

1 Dibujar sobre plástico para plantillas el patrón del cuerpo y el brazo de Alvin (página 116), copiando todas las marcas. Recortar por las líneas exteriores. Cortar los patrones para los ojos salientes y sus pupilas y para el ojo central y su pupila.

Consejo

Asegurarse de que las tiras de tela de dibujo midan exactamente 4 x 50 cm cada una.

2 De la tela verde con motivos, cortar una pieza de 18 x 50 cm y otra de 10 x 50 cm.

3 A 6 mm del canto y con puntadas muy pequeñas, hacer una costura a máquina uniendo las tres tiras de tela con motivos contrastadas por los bordes largos y las dos piezas de tela verde con motivos, como se indica en el diagrama de la derecha, para hacer un panel de piezas. Planchar.

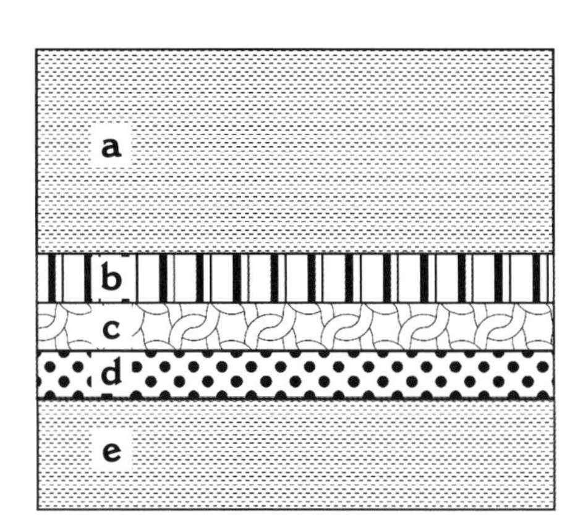

a) Tela verde con motivos, 18 x 50 cm

b) Tela estampada contrastada, 4 x 50 cm

c) Tela estampada contrastada, 4 x 50 cm

d) Tela estampada contrastada, 4 x 50 cm

e) Tela verde con motivos, 10 x 50 cm

Es una buena oportunidad para aprovechar retalitos de tela que se hayan guardado. Elegirlos con motivos muy distintos para que la versión de Alvin resulte llamativa, pero siempre de colores complementarios.

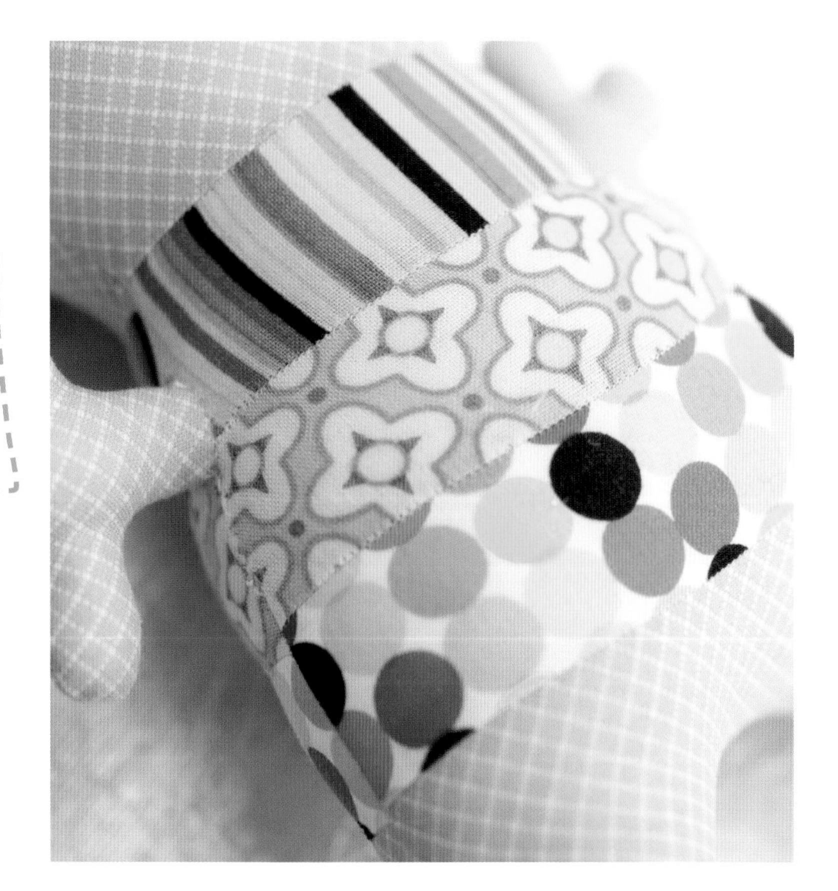

4 Doblar por la mitad el panel de telas, derecho con derecho, asegurándose de casar perfectamente las costuras, y planchar el doblez. Marcar el contorno del patrón principal de Alvin sobre el revés de la tela en doble, comprobando que las costuras casan con las líneas dibujadas en el patrón.

5 Abrir el panel de tela y ponerlo con el derecho hacia arriba sobre una mesa de luz u otra fuente de luz, como una ventana. Colocar la plantilla de Alvin debajo de la tela y casar el contorno dibujado con el borde exterior de la plantilla. En el lado derecho de la tela, marcar con cuidado la boca, la lengua y los tres ojos.

6 Con dos hebras de hilo de bordar rojo, bordar en su sitio la lengua a punto de satén (página 107). Con las seis hebras de hilo de bordar negro, dibujar a pespunte (página 106) la boca y la nariz. Con dos hebras de hilo de bordar negro, perfilar la lengua y dibujarle una línea en el centro a pespunte, sobre el punto de satén.

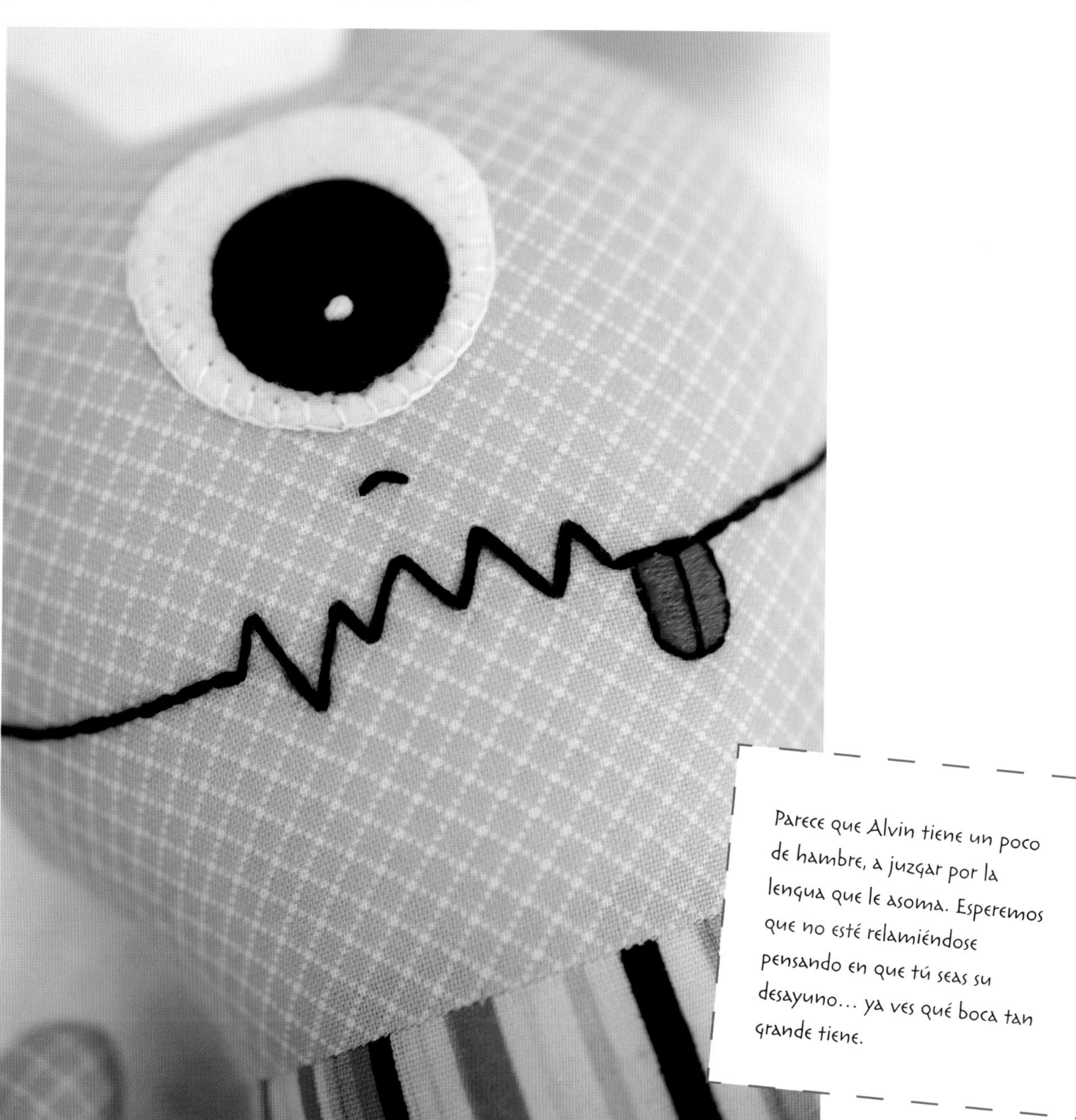

Parece que Alvin tiene un poco de hambre, a juzgar por la lengua que le asoma. Esperemos que no esté relamiéndose pensando en que tú seas su desayuno… ya ves qué boca tan grande tiene.

7 Sobre el revés del fieltro blanco, pegar la entretela termoadhesiva con la plancha. Sobre el lado del papel, dibujar dos veces el patrón de los ojos de arriba y una vez el del ojo central. Recortar los discos.

8 Sobre el revés del fieltro negro, pegar con la plancha entretela termoadhesiva. Dibujar dos veces, sobre el lado del papel, la pupila de los ojos de arriba y una vez la del ojo central. Recortarlas.

9 Retirar el papel de las piezas de fieltro y situar los ojos sobre la cara de Alvin, comprobando que quedan exactamente sobre las marcas. Pegarlos en su sitio con la plancha. Afianzar el borde de los ojos y las pupilas a punto de festón a máquina utilizando un hilo a tono, o a mano con dos hebras de hilo de bordar (página 107).

10 Con seis hebras de hilo de bordar blanco, añadir un punto de nudo de dos vueltas (página 107) a cada pupila, donde indica el patrón.

11 Volver a doblar por la mitad el panel principal del cuerpo, derecho con derecho, y prenderlo para que las costuras queden bien casadas. Coser el cuerpo por la línea exterior dibujada, eligiendo una puntada pequeña en la máquina de coser y dejando la abertura indicada en el patrón para volver del derecho.

12 Cortar el cuerpo en el panel de telas, a unos 6 mm por fuera de la costura. Dar cortes en las curvas y esquinas.

13 Volver el cuerpo del derecho y rellenarlo apretando bien el relleno para muñecos (página 110). Cerrar la abertura a punto escondido (página 112), rellenando un poco más al coser.

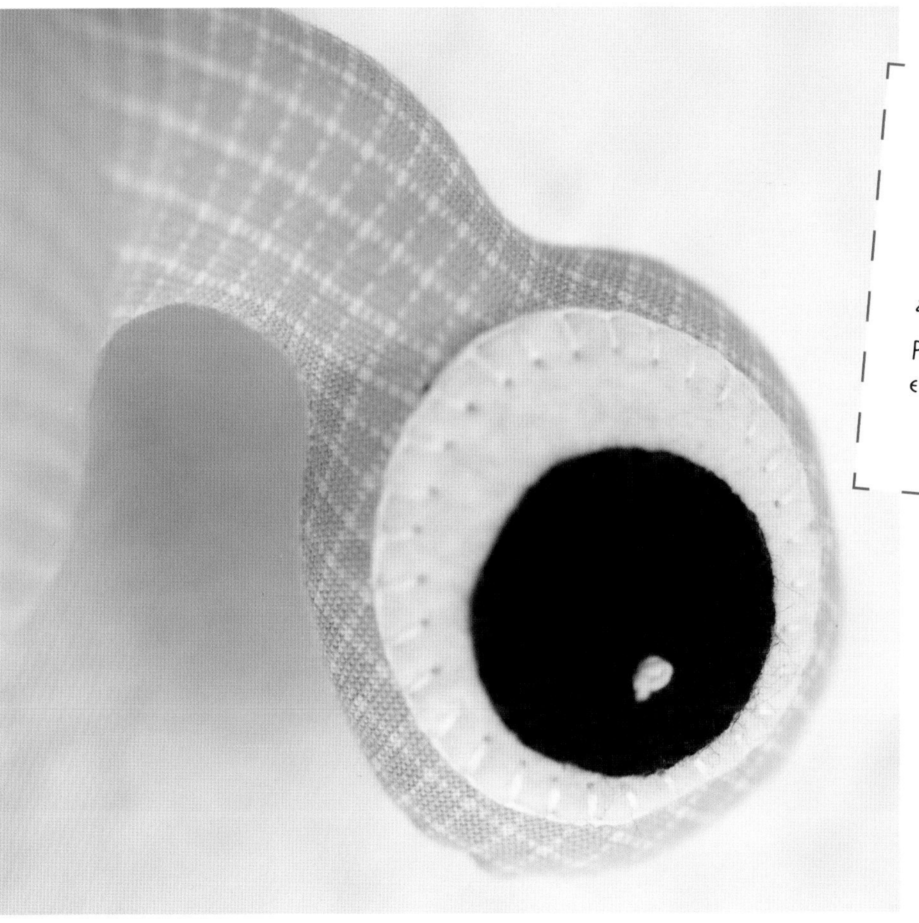

¡Alvin te vigila desde tres ángulos al mismo tiempo! El brillo tan convincente de sus ojos se debe a la astuta colocación de un punto de nudo de dos vueltas en la pupila.

14 Doblar el resto de la tela verde por la mitad y dibujar dos veces el patrón del brazo sobre el revés de la tela, pero no recortar.

15 Coser a máquina los brazos por las líneas dibujadas con puntadas muy pequeñas, dejando las aberturas para volver del derecho en el extremo, como indica el patrón. Recortar a unos 3-6 mm de la costura y dar cortes en las curvas y en las esquinas. Volver del derecho.

16 Rellenar los brazos apretando bien el relleno para muñecos. Doblar hacia dentro los bordes de la abertura. Siguiendo la técnica de Cosido de piezas a punto escondido (página 115), coser los brazos a los costados del cuerpo de Alvin, situándolos donde se ve en la foto de abajo a la derecha.

Coser los brazos al cuerpo y dar una segunda pasada para que queden más fuertes.

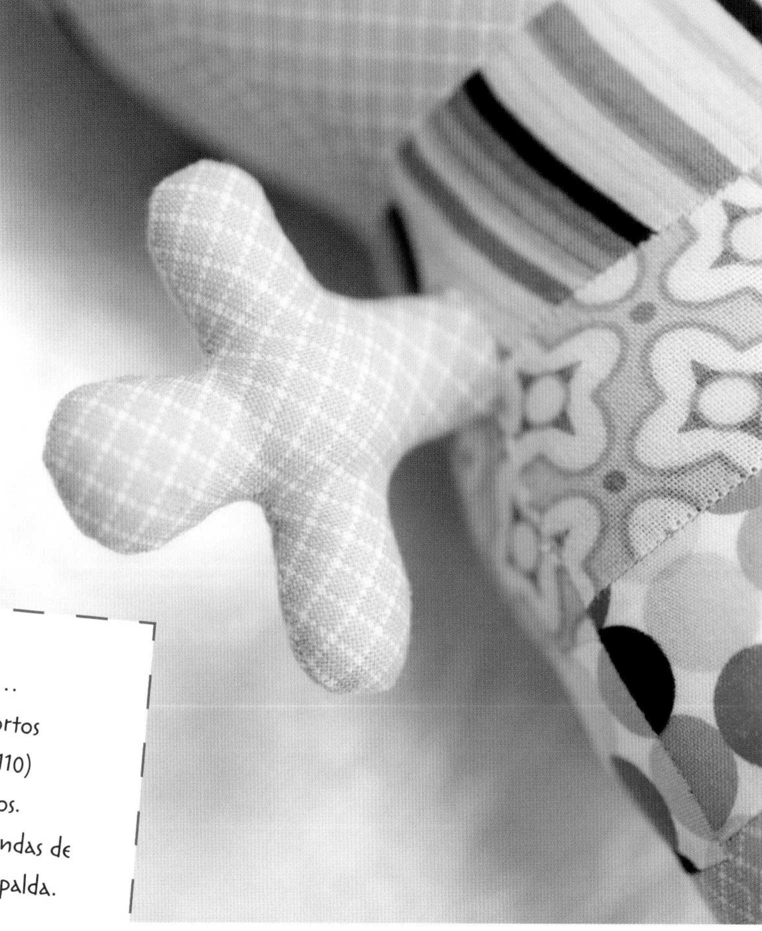

Mira, Alvin viene a darte un abrazo grande... bueno, todo lo grande que le permiten sus cortos bracitos. Hay que rellenar los brazos (página 110) apretando muy bien para que queden estirados. Visto por detrás es igual de bonito, con sus bandas de dibujos contrastados que se prolongan en la espalda.

"¡Adiós,
terrícolas!"

La cerdita Polly

Cuidado, que la cerdita Polly anda por aquí y es toda energía, por eso estás en grave peligro de que te arrolle. Pero no te dejes engañar por su aspecto rotundo, es un auténtico torbellino, siempre de un lado para otro y dispuesta a meterse en cualquier lío. Y, además, es doña prisas. Quedas advertido: ¡aparta de su vista tu monopatín!

Polly es otro muñeco que se confecciona de una vez; incluso las orejas y la cola se cosen al mismo tiempo con las piezas del cuerpo. Solamente el hocico, ligeramente relleno, se cose aparte, al final.

Se necesita

- 20 cm x el ancho de una tela rosa con motivos (cuerpo)
- 13 x 30 cm de tela de rayas claras (hocico, orejas, cola)
- Retal de fieltro rosa
- Retal de entretela termoadhesiva
- Hilo de bordar de seis hebras (mouliné) o hilo de poliéster rosa, optativo
- 1 escobillón o limpiapipas
- 2 botones negros de 1,3 cm de diámetro, optativo
- Kit básico de herramientas (páginas 102-103)

Tamaño terminado: unos 15 cm en total

"¿No puede
ir esto
más deprisa?"

Un personaje tan dinámico como Polly requiere una tela de gran impacto, a tono con su carácter, mientras que las suaves rayas de las orejas y del hocico forman un contraste de gran efecto con los lunares irregulares y abigarrados del cuerpo.

1 Dibujar todos los patrones de Polly (página 119), sobre plástico para plantillas, copiando todas las marcas, y recortarlos por las líneas exteriores.

2 Doblar por la mitad la tela rosa con motivos, derecho con derecho. Dibujar una vez el contorno del cuerpo y del interior de las patas sobre la tela en doble. Recortar por las líneas dibujadas. Trasladar las marcas de las pinzas sobre el revés de la pieza del interior de las patas.

3 Doblar por la mitad la tela de rayas claras, derecho con derecho. Dibujar dos veces el patrón de las orejas sobre la tela en doble. Hacer una costura a máquina sobre las líneas dibujadas, dejando la parte inferior abierta para volver del derecho. Recortar las orejas a unos 6 mm por fuera de la costura. Cortar la punta, volver del derecho y planchar.

4 Tomar una de las orejas y doblar las esquinas inferiores hasta que se toquen en el centro del borde inferior. También se puede formar un pliegue pequeño en el centro de la oreja. Hilvanar los dobleces y el pliegue en su sitio. Repetir con la otra oreja, asegurándose de que los pliegues queden simétricos.

Las orejas de Polly están plegadas, a la manera de una pinza hecha en un papel, ¡para que queden aerodinámicas y no la frenen en sus carreras!

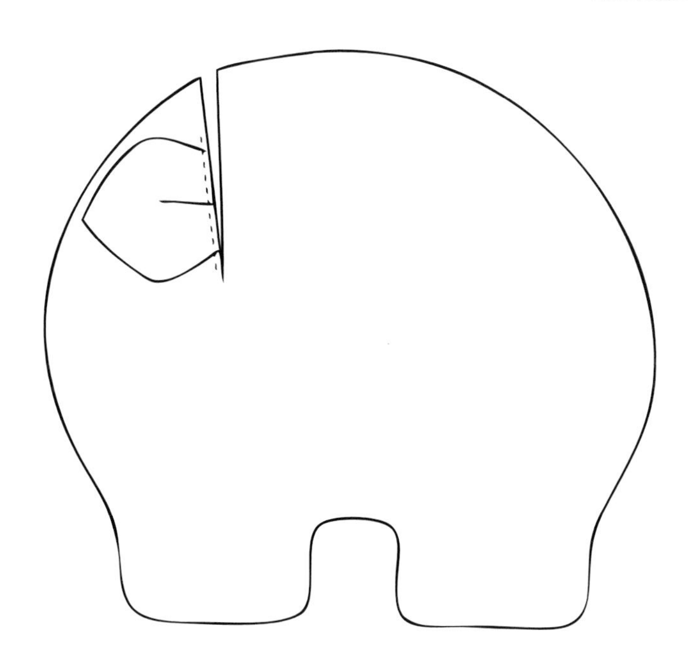

5 Tomar una de las piezas del cuerpo y colocar una oreja de Polly, derecho con derecho, sobre el borde delantero de la pinza de la cabeza, como en el diagrama de arriba. El canto de la oreja debe casar con el canto de la pinza y quedar a unos 2,5 cm de lo alto de la cabeza de Polly. Hilvanar la oreja en su sitio.

6 Doblar esta pieza del cuerpo, derecho con derecho, casando los cantos de la pinza de la cabeza. Coser la pinza, pillando la oreja en la misma costura. Repetir el proceso con la otra oreja y la otra pieza del cuerpo.

7 Para la cola de Polly, cortar una tirita de tela de rayas claras de unos 4 x 9 cm. Doblarla por la mitad a lo largo, derecho con derecho, y hacer una costura por un lado corto y por el borde largo, dejando un lado corto abierto. Cortar las esquinas y volver del derecho siguiendo la técnica de Volver piezas pequeñas (página 111).

La cola de Polly no le da más rapidez, pero sin duda va bien con su personalidad tan vivaz. Se hace con un escobillón enroscado en tirabuzón dentro de un tubo de tela.

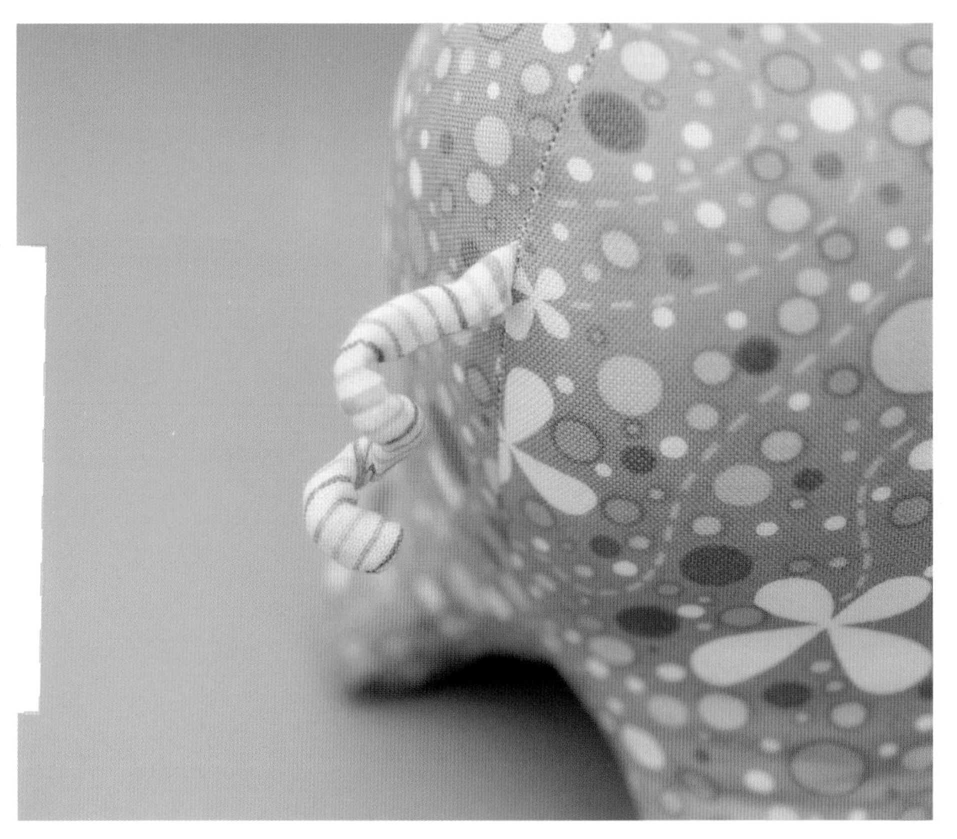

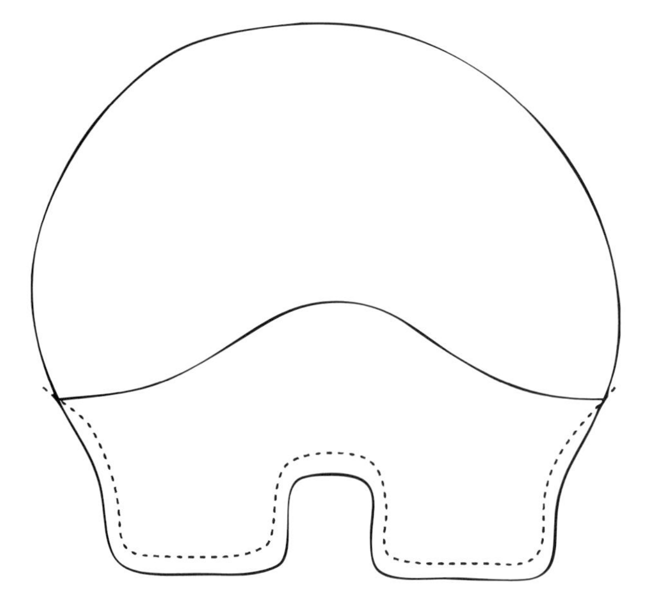

8 Tomar un escobillón de unos 18 cm. Enroscarlo y retorcerlo en espiral. Meterlo dentro del tubo de tela de rayas. Recortar lo que sobresalga por fuera del tubo. Colocar la cola sobre una de las piezas del cuerpo, derecho con derecho, como se indica en el patrón. El canto del tubo de la cola debe casar con el canto de la parte posterior del cuerpo de Polly. Hilvanar la cola en su sitio.

9 Colocar una pieza del cuerpo sobre una del interior de las patas, derecho con derecho. Coser el interior de las patas al cuerpo, empezando la costura junto al canto de la tela, para ir dejando poco a poco 6 mm de margen y volver a disminuir al otro extremo hasta llegar al canto de la tela, como en el diagrama de la derecha. Repetir con la otra pieza del cuerpo y del interior de las patas. No volver del derecho.

10 Tomar una de las secciones del interior de las patas y doblarla por la mitad, derecho con derecho, de manera que el doblez coincida con la línea que baja del centro de la pinza. Coser la pinza en su sitio solo en el interior de las patas. Repetir con la otra pieza del interior de las patas. Recortar la tela sobrante de las pinzas.

11 Colocar las dos piezas del cuerpo una sobre otra, derecho con derecho, con el interior de las patas entre medias. Hilvanar las piezas del cuerpo, empezando por un extremo de la abertura y siguiendo hasta el otro extremo de la abertura. Al llegar a la sección del interior de las patas, asegurarse de hilvanar la parte superior del interior de estas una con otra, derecho con derecho. Resultará más fácil si se doblan las patas hacia arriba a cada lado del cuerpo (ver diagrama a la derecha). La cola debe quedar entre medias de las dos capas del cuerpo.

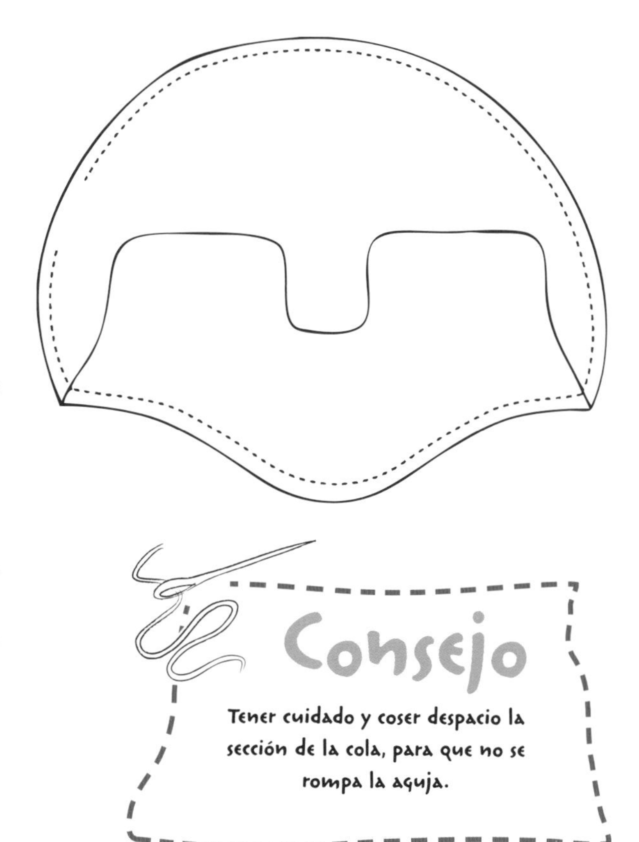

12 Coser a máquina las piezas del cuerpo de Polly, una con otra, dejando la abertura para volver del derecho. Dar cortes en las curvas y en las esquinas y volver del derecho. Rellenar el cuerpo apretando bien el relleno para muñecos (página 110) y coser la abertura a punto escondido (página 112), añadiendo algo más de relleno al mismo tiempo para que no queden bultos.

Consejo

Tener cuidado y coser despacio la sección de la cola, para que no se rompa la aguja.

Las patas aceleradas de Polly requieren un relleno más que firme para que queden fuertes y resistan tanto movimiento.

13 Dibujar dos veces el patrón del hocico sobre el resto de la tela de rayas claras. Recortar por las líneas.

14 Pegar con la plancha la entretela termoadhesiva sobre el trozo de fieltro rosa. Dibujar dos veces el disco de los agujeros de la nariz sobre el lado del papel de la entretela y recortar por las líneas. Retirar el papel y situar los agujeros de la nariz sobre una de las piezas del hocico. Pegarlos con la plancha. Hacer un festón a máquina, o un zigzag si la máquina no tiene punto de festón, por los bordes de los discos con hilo de poliéster rosa, o hacer un festón a mano (página 107) con dos hebras de hilo de bordar rosa.

15 Poner las dos piezas del hocico una sobre otra, derecho con derecho. Hacer una costura a máquina todo alrededor. Cortar una abertura de 1,8 cm solamente en el centro de la capa posterior, ¡no del lado de los agujeros de la nariz! Volver el hocico del derecho por la abertura.

Polly tiene el hocico grande porque no solo es una corretona, sino que además le gusta husmear y meter las narices en los asuntos de los demás. Observa lo bien cosido que está en su sitio, con un punto escondido y un hilo de poliéster fuerte.

16 Rellenar el hocico sin apretar, por la abertura del dorso. Colocarlo sobre la cara de Polly de manera que queden tapadas las aberturas de la cabeza y del hocico. Prender el hocico en su sitio y coserlo con la técnica de Cosido de piezas a punto escondido (página 115), siguiendo el dorso del hocico, a unos 3 mm de la costura de este.

17 Coser los botones negros en su sitio, sobre la cara de Polly, para hacer los ojos. Pero si se trata de un juguete para niños pequeños, se omiten los botones y se hacen los ojos con discos de fieltro negro aplicados (como los agujeros de la nariz en el paso 14), o bordándolos a punto de satén o con un punto de nudo de dos vueltas (página 107).

La rana Finnegan

Te presento a esta fantástica amiga, la rana Finnegan, a quien lo que más le gusta en este mundo es solazarse al sol. No tienes más que ver su enorme sonrisa, la tela tan alegre de su cuerpo y el estampado de su pantalón de surfista para saber que lo suyo es disfrutar del ocio.

Para confeccionar a Finnegan se emplean unas cuantas técnicas sencillas de muñecos de tela que se explican al final del libro (páginas 106 a 115), incluido el cosido de piezas, rellenado y cosido de extremidades, junto con unos puntos de bordado básicos para dar expresividad a los rasgos faciales.

Se necesita

- 40 cm x el ancho de una tela verde con motivos (cuerpo, brazos, piernas)
- 18 x 18 cm de una tela verde lima, mezcla de lino y algodón (cara)
- 25,5 x 25,5 cm de tela roja con motivos (pantalón)
- 10 x 10 cm de entretela termoadhesiva
- 10 x 10 cm de fieltro blanco (ojos)
- Retal de fieltro negro (pupilas)
- Hilo de bordar de seis hebras (mouliné): blanco, negro
- 2 botones de color a juego, de 2,5 cm de diámetro (no utilizar si es para un niño pequeño)
- Pegamento para tela
- Kit básico de herramientas (páginas 102-103)

Tamaño terminado: 42 cm de alto

"¡Qué buen
día para
un bañito!"

1 Dibujar todos los patrones de Finnegan (página 118) sobre plástico para plantillas, copiando todas las marcas. Recortar por las líneas exteriores. Cortar aparte los patrones para el ojo y la pupila.

2 En la tela verde estampada, dibujar los patrones del cuerpo y de la parte de arriba de la cabeza, una vez sobre la tela doblada por la mitad y otra vez para el dorso de la cabeza sobre la tela en una capa. Recortar las piezas.

3 Dibujar dos veces el patrón de la pierna y del brazo sobre el resto de la tela verde con motivos doblada por la mitad, pero no recortar.

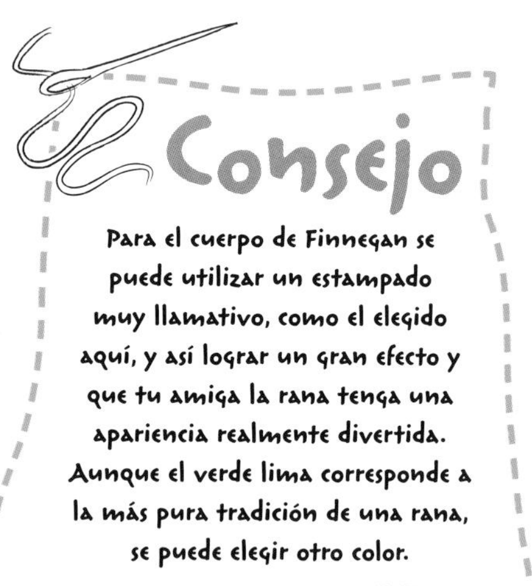

Consejo

Para el cuerpo de Finnegan se puede utilizar un estampado muy llamativo, como el elegido aquí, y así lograr un gran efecto y que tu amiga la rana tenga una apariencia realmente divertida. Aunque el verde lima corresponde a la más pura tradición de una rana, se puede elegir otro color.

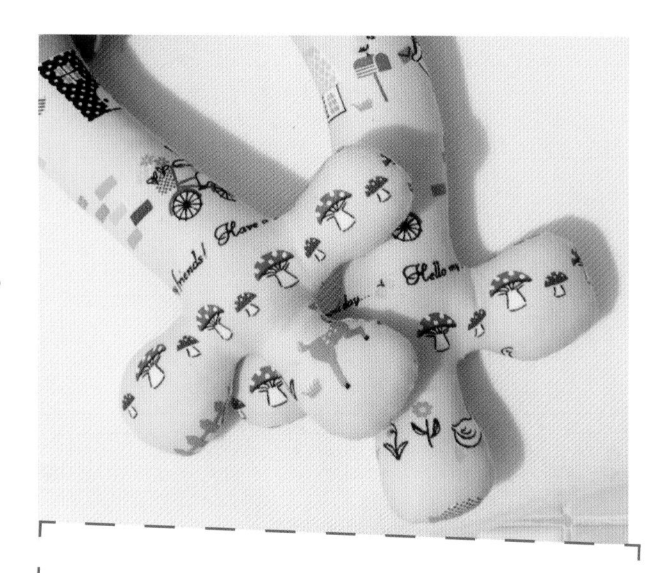

Las locas patas de Finnegan, con sus tres dedos gruesos y redondos, ni son ágiles ni están hechas para trabajar, ¡pero sí le sirven para holgazanear junto al estanque! No hay que recortar las piezas una vez dibujado el contorno del patrón, porque se deben coser antes.

4 En la tela verde lima mezcla de lino y algodón, dibujar una vez el patrón de la cara sobre la tela en una sola capa y copiar las marcas de las pinzas.

5 Coser las pinzas en la cara por el revés, siguiendo las marcas. Recortar la tela sobrante de las pinzas y planchar.

6 Poner una sobre otra la pieza de la cara y una de las de la parte superior de la cabeza, derecho con derecho. Comprobar que la parte de arriba de la cabeza queda centrada y prenderla o hilvanarla en su sitio, embebiendo al mismo tiempo la curva en la cara. Coser a máquina y planchar.

"¡Esto es
vida!"

7 Colocar la cabeza terminada sobre la pieza delantera del cuerpo, derecho con derecho. Comprobar que la línea del cuello del cuerpo queda centrada y prenderla o hilvanarla en su sitio, embebiendo al mismo tiempo la curva en la cara. Coser y planchar. Repetir el paso 6 de la página 94 y este paso con el dorso de la cabeza y la parte superior, y luego con la espalda del cuerpo.

8 Casar el delantero y la espalda terminados de la rana, derecho con derecho, comprobando que coinciden las costuras. Coser el cuerpo por todos los bordes, dejando la parte inferior del cuerpo abierta para volver del derecho. Dar cortes en todas las esquinas y en las curvas. Volver del derecho.

9 Coser los brazos y las piernas por las líneas dibujadas, dejando las aberturas indicadas. Recortar a unos 6 mm por fuera de las costuras y dar cortes en las esquinas y en las curvas. Volver del derecho.

10 Rellenar los brazos apretando bien el relleno para muñecos (página 110) y cerrar la abertura a punto escondido (página 112). Rellenar las piernas apretando bien hasta la línea indicada y coser a máquina por la línea.

11 Siguiendo la técnica de Insertar las piernas (página 113), coser las piernas a cada lado del borde inferior abierto del cuerpo. Rellenar la cabeza y el cuerpo apretando bien el relleno para muñecos, metiéndolo por la abertura entre las patas. Coser la abertura a punto escondido, rellenando un poco más al coser si hiciera falta.

12 Siguiendo la técnica de Unir con botones (página 114), coser los brazos a cada lado de la parte de arriba del cuerpo de Finnegan, utilizando botones del color adecuado.

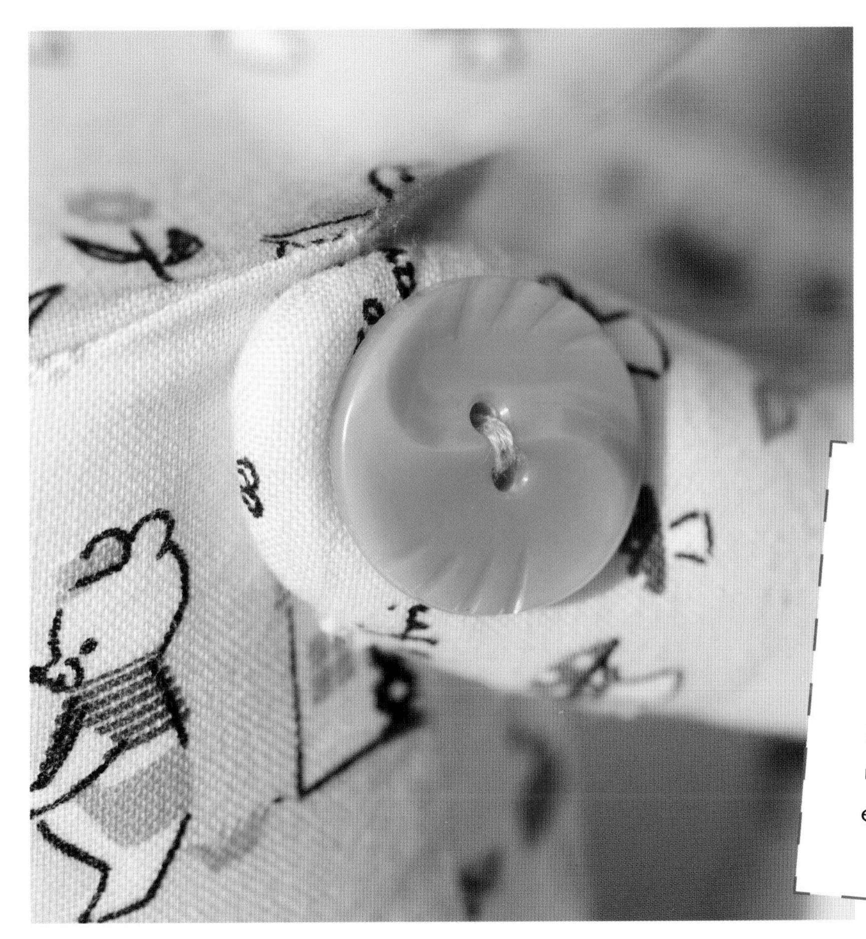

Unir con botones es una forma sencilla, resistente y bonita de coser brazos y piernas a los muñecos de tela y además, les permite cierto movimiento... ¡y así Finnegan alcanza a agarrar un refresco! Pero si el muñeco está destinado a un niño pequeño, se omiten los botones por el riesgo potencial de atragantamiento.

13 Pegar con la plancha la entretela termoadhesiva sobre el revés del fieltro blanco. Dibujar dos veces la plantilla del ojo sobre el lado del papel y recortar. Retirar el papel y pegar los ojos con la plancha sobre la cara de Finnegan. Afianzar los ojos haciendo un festón (página 107) alrededor con dos hebras de hilo de bordar blanco.

14 Dibujar dos veces el patrón de la pupila sobre el fieltro negro y recortar. Con pegamento para tela, pegar las pupilas en su sitio sobre los ojos de Finnegan y dejar secar. Con dos hebras de hilo de bordar blanco, hacer un punto de nudo de dos vueltas (página 107) en el centro de cada pupila.

15 Con los patrones (página 118), dibujar la boca y los agujeros de la nariz en la cara de Finnegan y bordarlos a pespunte (página 106) con cuatro hebras de hilo de bordar de color negro.

16 Dibujar una vez el patrón del pantalón sobre la tela roja estampada doblada por la mitad y recortar, para tener dos piezas. Colocar las dos piezas del pantalón una sobre otra, derecho con derecho, y coserlas por la línea de tiro, dejando un margen de 6 mm. Abrir el pantalón y doblarlo de nuevo casando las costuras del tiro y de modo que los bordes interiores de las perneras queden derecho con derecho. Coser el interior de las perneras empezando por abajo de una de ellas, subiendo hasta el tiro y bajando por la otra pernera hasta el final. Volver del derecho y planchar.

¡Finnegan solo ve el lado bueno de la vida! Los ojos se pegan con entretela termoadhesiva y luego la parte exterior se afianza sobre la cabeza con un festón abierto, mientras que las pupilas van pegadas con pegamento para tela.

Finnegan tiene una cara muy expresiva: su gran sonrisa lo dice todo. La cabeza se debe rellenar apretando firmemente el relleno para lograr un bonito efecto redondeado y sacarle todo el partido a la sonrisa.

Para rematar rápidamente el pantalón playero de Finnegan, se cosen las perneras con dos líneas de pespunte a máquina, con un hilo de color que haga contraste.

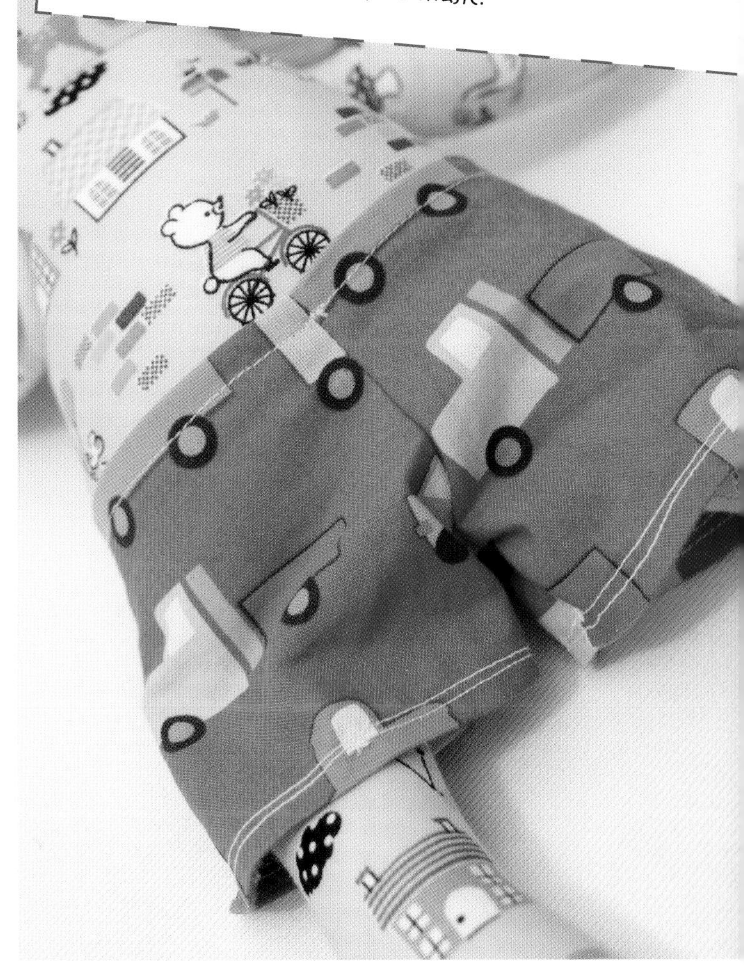

17 Doblar hacia dentro 6 mm del borde de las perneras y hacer dos líneas de pespunte por fuera para coser el dobladillo.

18 Doblar hacia dentro el borde superior del pantalón, de 6 a 12,5 mm, y planchar. Hacer por fuera un pespunte a unos 6 mm del doblez. Poner el pantalón a Finnegan.

Consejo

Si el pantalón queda un poco holgado o si simplemente se quiere sujetar, se utiliza una aguja extralarga y una hebra larga doble para dar una puntada pequeña en el centro del delantero del pantalón (por encima del pespunte) y se atraviesa con la aguja el cuerpo para salir por el centro de la espalda del pantalón. Se da una pequeña puntada en el pantalón y se vuelve a salir por delante. Repetir varias veces para que el pantalón quede bien sujeto. Anudar el hilo y esconder el nudo en el cuerpo (página 109).

Telas ...

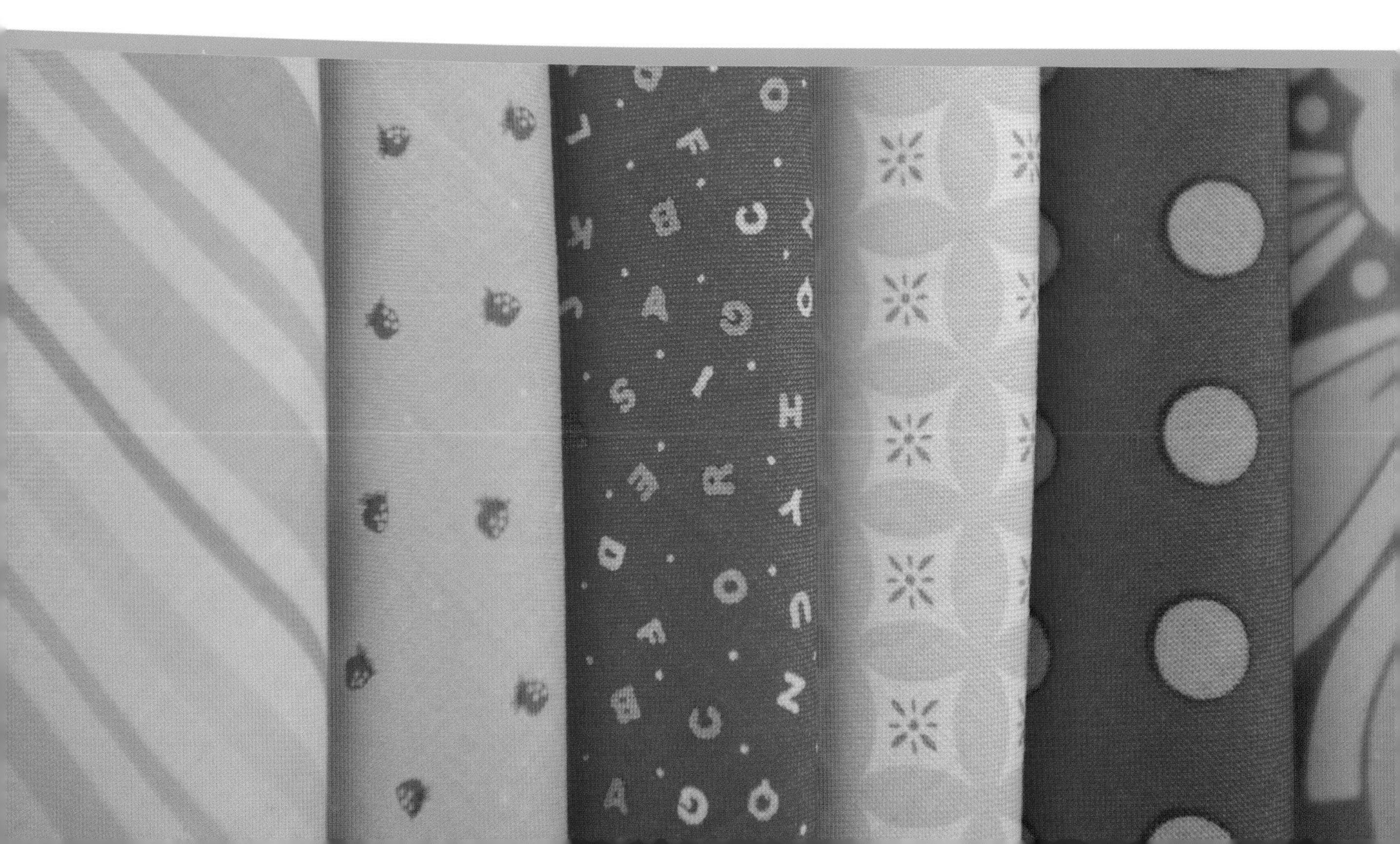

... herramientas y técnicas

Kit básico de herramientas

Antes de embarcarse en la confección de uno de los muñecos del libro, hay que asegurarse de contar con las siguientes herramientas, todas ellas esenciales, que aquí figuran como kit básico de herramientas para costura.

Plástico para plantillas

Es el mejor material para calcar o copiar los patrones de los muñecos (que están en las páginas 116 a 125) y para hacer patrones propios, porque se ve la tela a través de él y se pueden colocar correctamente. Las marcas de los patrones se trasladan al plástico con un rotulador de tinta permanente o con un lápiz de mina dura si no importa que se borren. Luego se pueden conservar los patrones de plástico para utilizarlos en el futuro. Si no se dispone de plástico para plantillas, se puede utilizar cartulina.

Marcadores para tela

Para marcar la tela se pueden utilizar varios métodos y distintos productos que existen en el mercado. Sin embargo, los mejores son los rotuladores de tinta no permanente y el jaboncillo, para que no queden marcas en los muñecos. Un lápiz de mina dura es un buen sustituto.

Cúter giratorio, plancha de corte y regla

Estas herramientas están indicadas para cortar tiras y cuadrados de tela con facilidad. Aunque se recomiendan, no son imprescindibles y se pueden sustituir por una cinta métrica, una regla y tijeras.

Hilo de coser

Es importante utilizar un hilo fuerte para coser muñecos que se vayan a rellenar. Para coser a máquina, elegir siempre un hilo de poliéster de buena calidad. Con él las costuras quedarán resistentes y los muñecos de tela durarán más.

Entretela termoadhesiva

Este material, que se pega con la plancha, se encuentra con facilidad en el comercio y se usa para pegar las piezas aplicadas de los muñecos, como los rasgos faciales. Leer atentamente las instrucciones del fabricante antes de utilizar el producto.

Hilo de bordar (mouliné)

Se necesita un hilo de bordar de seis hebras (mouliné) para bordar los rasgos faciales y para los festones a mano sobre los detalles de aplicación.

Agujas de bordar

Se recomienda una aguja de bordar del n.º 10 para bordar a mano, para las aplicaciones y para coser las aberturas de los muñecos.

Agujas para muñecos

Son agujas extralargas que se utilizan para unir con botones (página 114).

Relleno para muñecos

Elegir un relleno de poliéster de buena calidad para los muñecos (ver en la página 110 consejos sobre su elección).

Mesa de luz

La mesa de luz es lo mejor para dibujar detalles sobre tela. Es muy útil para situar y para dibujar líneas de costura. Si no se dispone de una mesa de luz y no se desea adquirir una, una ventana soleada es igual de eficaz. Colocar los patrones y/o la tela sobre la ventana y sujetarlos con cinta adhesiva de pintor. La ventana proporciona la luz suficiente para que las capas queden translúcidas y se puedan calcar las marcas.

Otras herramientas esenciales

- **Máquina de coser**
- **Tijeras de costura de buena calidad y afiladas**
- **Alfileres de modista**
- **Hilo de hilvanar y agujas de coser**
- **Instrumentos para volver del derecho/rellenar: una brocheta de madera, un palito de floristería y un pincel**
- **Plancha y tabla de planchar**

Elección de la tela

La mayoría de las telas utilizadas en la confección de los muñecos de este libro son de algodón 100%, para patchwork. Es fundamental que las telas sean siempre de algodón de buena calidad para que en los muñecos se obtenga el mejor resultado. En algunos proyectos se usa fieltro, por ejemplo en los rasgos faciales. De nuevo, se recomienda comprar productos de calidad, con un alto porcentaje de lana, en lugar de fieltros sintéticos.

La mayoría de las telas para patchwork tienen un ancho de 102-112 cm, y ese es el ancho al que se refiere la lista de materiales necesarios para cada muñeco. Si se utiliza una tela más estrecha, hay que ajustar las medidas de la lista.

La elección de las telas para los muñecos es tan importante como realizar una costura impecable o un rellenado de profesional, y es fundamental dedicar un tiempo a estudiar las combinaciones de colores y dibujos. Las telas elegidas son una decisión personal que refleja los gustos individuales, pero estas normas generales ayudan a escoger con acierto y lograr resultados agradables a la vista.

Contrastes creativos

Para lograr impacto visual, hay que decidirse por combinaciones poco convencionales y así conseguir un contraste máximo, mezclando, por ejemplo, dibujos geométricos y florales, o colores pastel con otros vivos. Lo importante es construir la composición dándole cierto grado de continuidad de color para relacionar telas dispares y, luego, experimentar con diferentes mezclas hasta conseguir un resultado agradable.

Sobrepasar los límites

Los muñecos de tela son una buena oportunidad para arriesgarse en la elección de las telas y salir de los caminos comunes. Hay que tener en cuenta que aquí no se trata de confeccionar un quilt que pasará a ser patrimonio familiar y, por eso, se tiene libertad para experimentar y "jugar". Abandonar las normas y dejarse guiar por el primer impulso: no hay una elección equivocada, y si la combinación de telas te gusta, ¡pues esa es la buena!

Combinaciones de color

Si el proyecto requiere varias telas, asegurarse de que cada una de ellas tenga algún color en común con otra u otras de las demás telas del conjunto. Si se elige una gama de telas que coordinen entre sí, el resultado será demasiado predecible y soso.

Mezcla de tamaños y dibujos

Probar a mezclar telas de dibujo pequeño con otras de estampados medianos o grandes, además de lunares, rayas y cuadros. De este modo resaltan mejor los distintos elementos y cada tela destaca de las demás.

Coser a mano

Estos puntos básicos son los utilizados en la confección de los muñecos del libro. Los diagramas ilustran la forma de realizarlos.

Punto escondido

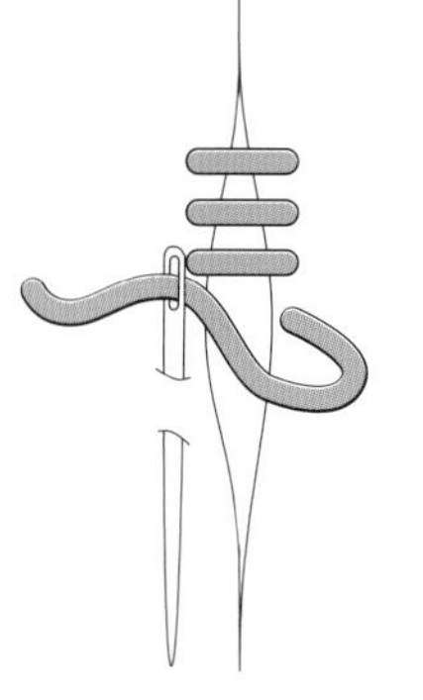

Este punto se utiliza para coser las aberturas de volver del derecho y para unir las partes de los muñecos rellenos, como la nariz de Mabel en esta fotografía.

Punto atrás o pespunte

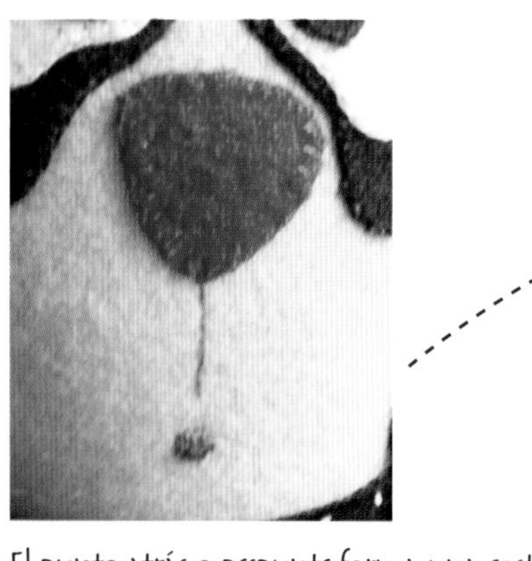

El punto atrás o pespunte forma una costura continua, por lo que está indicado para definir formas. Aquí se utiliza para dibujar una línea de expresión desde la nariz de Lou-Lou.

Cadeneta

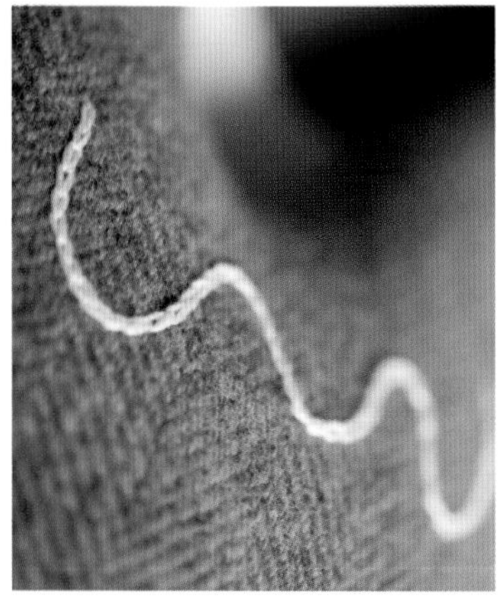

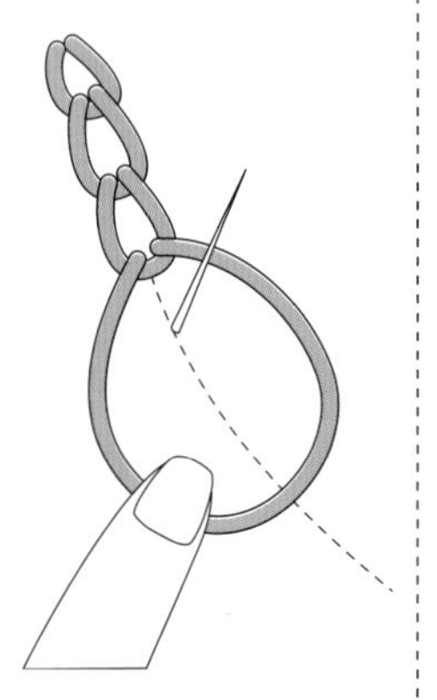

Con la cadeneta se dibujan líneas más gruesas y con ella se ha bordado la larga boca ondulada de Harry que se ve aquí.

Bastilla

Es un punto muy sencillo que aquí se utiliza para dibujar los círculos de las mejillas de Tilly. También se cose por el borde de una tela, sin rematar el hilo al final para luego tirar de él y fruncir la tela, como en la cintura y el bajo de las perneras del pantalón de Tilly.

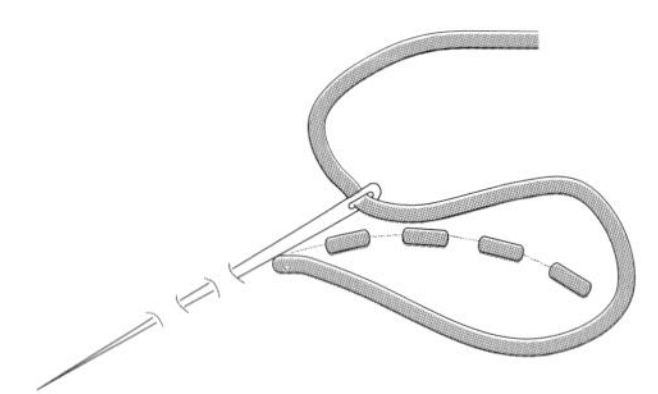

Punto de nudo

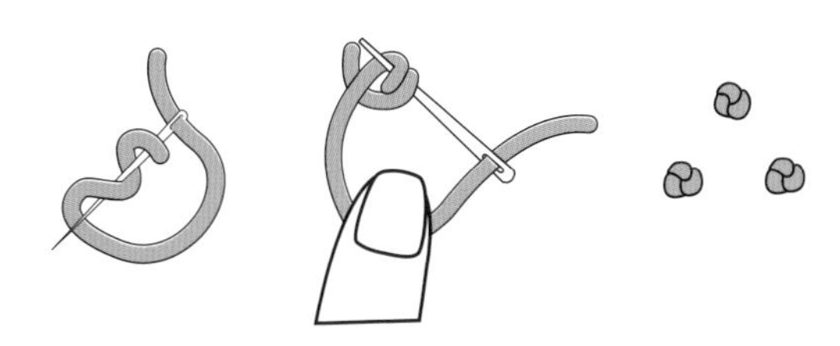

El punto de nudo de dos vueltas forma un puntito en relieve, que se utiliza para dibujar un centro en las pupilas de algunos muñecos, como en el caso de Finnegan.

Punto de Cruz

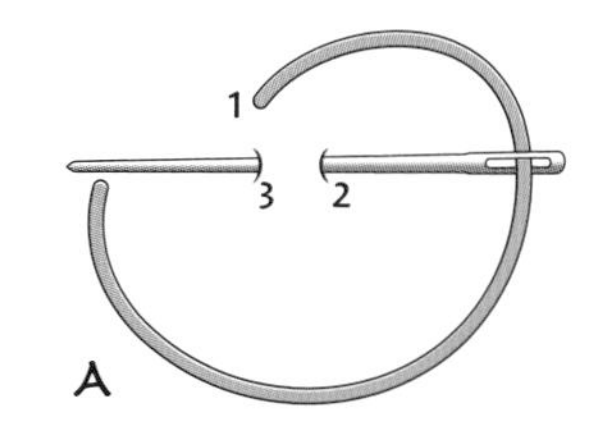

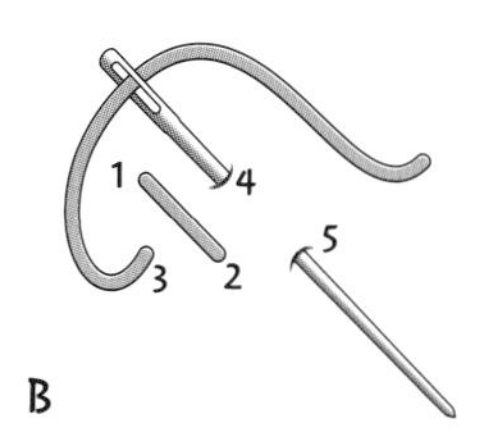

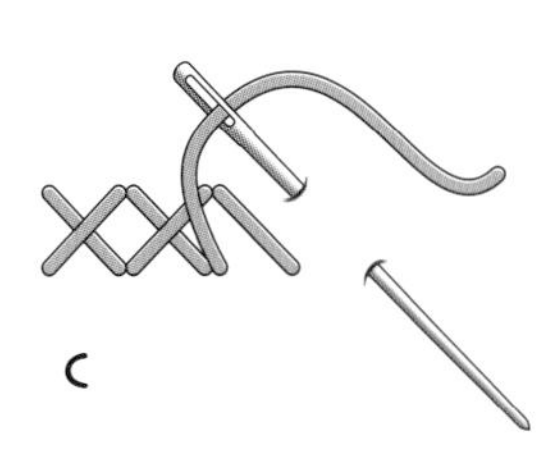

El Punto de Cruz se usa como alternativa al punto de nudo para crear un brillo en el centro de la pupila de algunos muñecos, por ejemplo, en Perla.

Punto de satén

Primero se hace un pespunte por el borde exterior del motivo y luego se rellena a punto de satén por fuera del pespunte (ver diagramas).

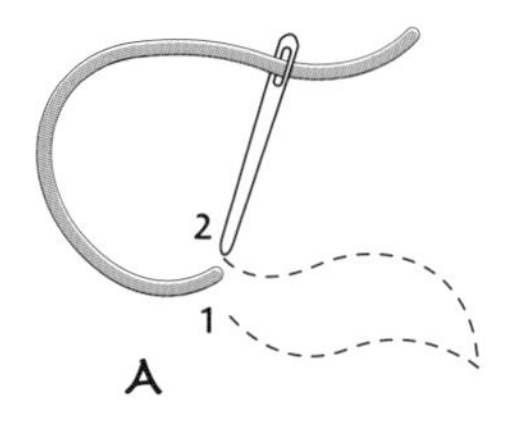

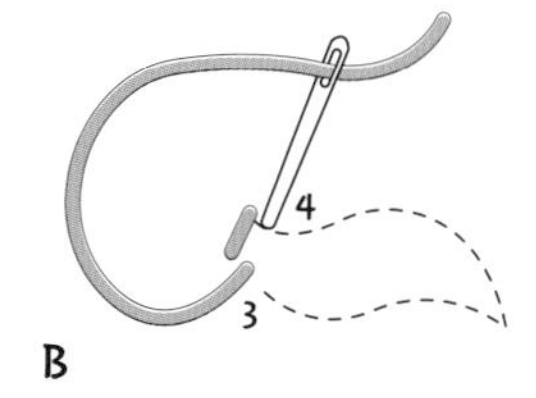

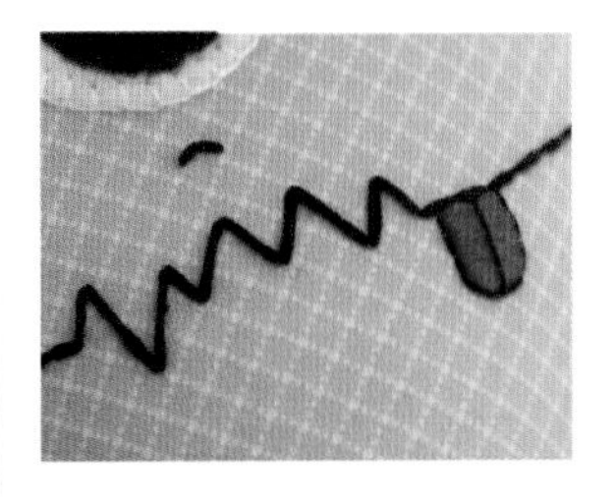

El punto de satén se emplea para rellenar motivos pequeños con un bordado, como los ojos y la lengua de Alvin, que se ve aquí.

Festón abierto

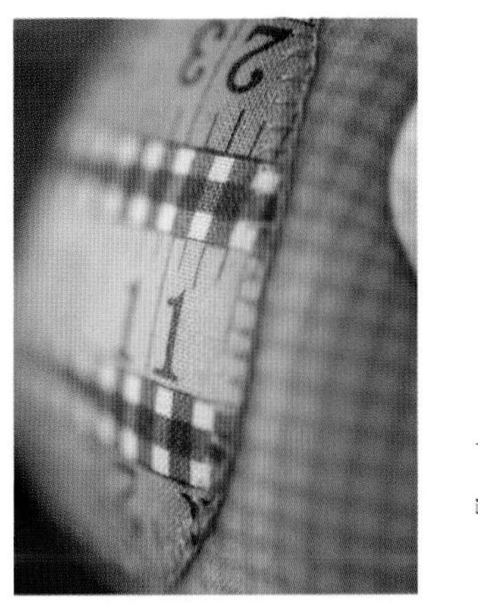

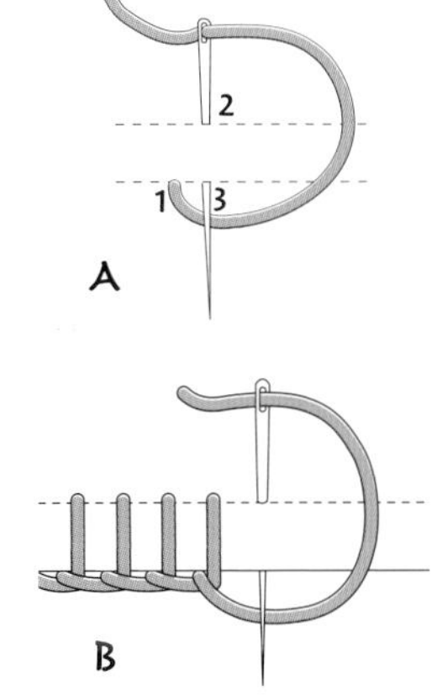

Este punto de remate se utiliza para afianzar las aplicaciones de tela, como los ojos y las pupilas, además del parche de la tripa de Preston, y para lograr un acabado bonito.

Coser a máquina

Para coser las piezas del cuerpo de los muñecos, seleccionar en la máquina un largo de puntada de 1,5 mm y utilizar un hilo de poliéster de buena calidad. Para coser las ropas, se selecciona un largo de puntada de 2,5 mm.

Para las aplicaciones cosidas a máquina, seleccionar un punto de festón, si es posible. Si la máquina no lo permite, utilizar un zigzag.

Afianzar la costura empezando y terminando siempre con unos cuantos puntos atrás. De este modo, la costura no se abre al volver los muñecos del derecho y al rellenarlos.

Algunas piezas de los muñecos requieren que, antes de recortarlas, se haga una costura por el borde, mientras que en otras piezas del patrón hay que dejar un margen de costura de 6 mm. Por eso es importante leer bien todas las instrucciones antes de empezar a confeccionar un muñeco.

Nudo escondido

A veces hay que coser unas aplicaciones o unos brazos/piernas o añadir una costura cuando está terminado el muñeco. Para lograr un buen acabado y evitar que se vean los nudos al empezar y terminar el hilo, se esconden por dentro.

1 Enhebrar la aguja con el número de hebras que se indique. Hacer un nudo en el extremo como de costumbre (hacer un doble nudo si se usan las hebras dobles o, como norma general, comprobar que el nudo tiene el mismo grosor que el ojo de la aguja). Pasar la aguja por el muñeco a poca distancia de donde se vaya a empezar la costura y luego salir con la aguja exactamente por el lugar donde empiece la costura.

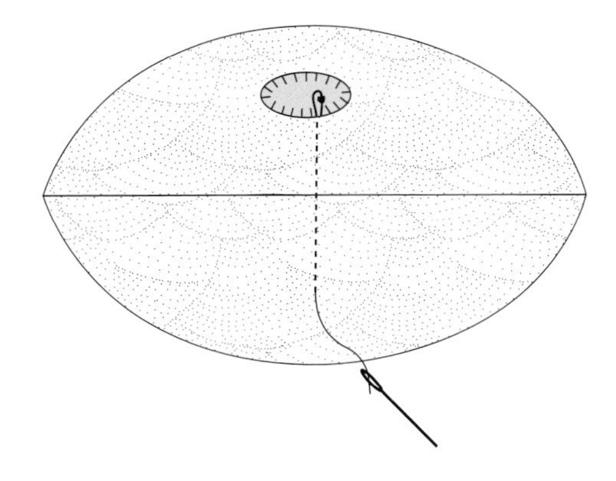

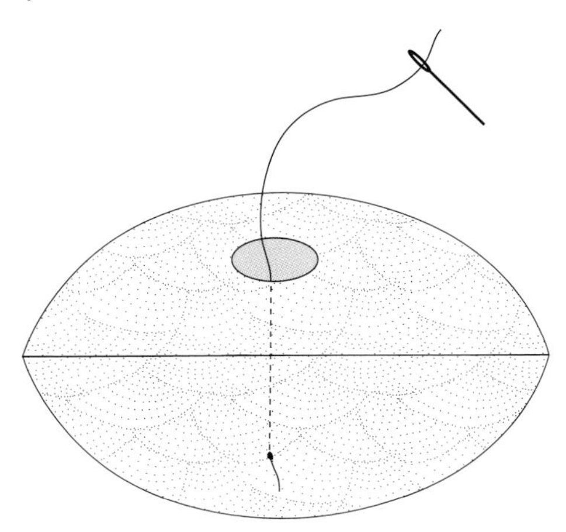

2 Tirar de la hebra y el nudo quedará sobre el lugar de entrada. Agarrar el hilo junto al lugar de salida y dar un tirón rápido y corto. De este modo, el nudo atraviesa la tela y queda por dentro del muñeco. No tirar demasiado fuerte porque el nudo puede atravesar las dos capas de tela.

3 Terminar la costura indicada para el muñeco. Cuando se vaya a dar la última puntada, hacer un nudo del mismo grosor que antes junto a la base del hilo. Dar la última puntada metiendo la aguja por donde se entró la primera vez, a ser posible por el dorso del muñeco. De nuevo el hilo queda flojo donde el nudo toca la tela. Tirar del hilo para hundir el nudo en el muñeco. Cortar el hilo a ras de la tela y quedará escondido por dentro del muñeco.

Nudo plano

Es importante hacer bien un doble nudo, llamado también nudo plano, como el que se ve más abajo, para asegurarse de que no se deshaga.

Rellenar

Es muy importante que los muñecos queden firmemente rellenos y sorprende ver cuánto relleno necesitan. Tener en cuenta que habrá que hacer las costuras con puntadas pequeñas y con hilo de poliéster fuerte para que resistan la gran cantidad de relleno del muñeco. Por eso, incluso aunque creamos que el muñeco está bien relleno ¡hay que seguir rellenándolo! No hay que tener miedo de utilizar grandes cantidades de relleno, porque así el muñeco tendrá mejor estructura.

Elección del relleno para muñecos

Utilizar siempre un relleno de buena calidad cuando se confeccionen muñecos de tela. Algunos rellenos forman bultos y los muñecos quedan toscos e irregulares. Para comprobar si un relleno es bueno, se toma un copo y se hace rodar con cuidado entre las manos para hacer una bola. Si el relleno queda como una bola apretada, formará bultos, pero si recupera su forma de copo, es perfecto para muñecos.

Herramientas para rellenar/ volver del derecho

Algunas de las mejores herramientas para rellenar los muñecos son objetos habituales en una casa, por eso no hay que adquirir herramientas para lograr buenos resultados. Dos de esos objetos con los que mejor se realiza la operación de rellenado son:

BROCHETA DE MADERA

Para volver (ver página siguiente) y rellenar piezas pequeñas, utilizar una brocheta de madera de las que se venden en paquetes en el supermercado. Utilizar el lado romo solamente, porque la punta podría perforar las costuras.

PINCEL

Un pincel redondo de madera es una herramienta estupenda para rellenar y volver las piezas del derecho. El mango liso del pincel es perfecto para volver las piezas y para alisar las costuras antes de rellenar, mientras que las cerdas son la herramienta ideal para rellenar si se hace una ligera modificación: recortar las cerdas a unos 6 a 12 mm de largo; apretar y hacer rodar las cerdas entre los dedos y luego aplastarlas contra una superficie dura hasta que queden estropeadas y chatas. Estas cerdas aplastadas se adhieren al relleno y con ellas se empuja y se manipula bien este por dentro del muñeco. También permiten situar el relleno donde se desee, llegando al fondo de las piezas hasta que queden muy firmes.

Rellenar las patas de los muñecos de una pieza

Cuando las patas están integradas en el patrón del cuerpo, como en el dinosaurio Darcy (páginas 54-59), la jirafa Gerbera (páginas 68-75) y la cerdita Polly (páginas 84-91), a veces cuesta trabajo rellenarlas bien y que soporten el peso del muñeco sin doblarse. Empezar por rellenar las patas con copos grandecitos y luego seguir rellenando el resto del muñeco. Cuando se crea haber acabado, se empuja con el pincel el relleno por los bordes de las patas hasta que estas queden firmes. También las patas se doblan si no hay bastante relleno en su parte de arriba y en el cuerpo.

Volver piezas pequeñas

A veces hay que coser, volver del derecho y rellenar piezas muy pequeñas o estrechas. Puede resultar complicado y frustrante, pero hay una técnica que simplifica mucho la tarea. Se necesita una paja de refresco, que sea algo más resistente que las desechables que se venden en paquetes en los supermercados. Las mejores son las reutilizables.

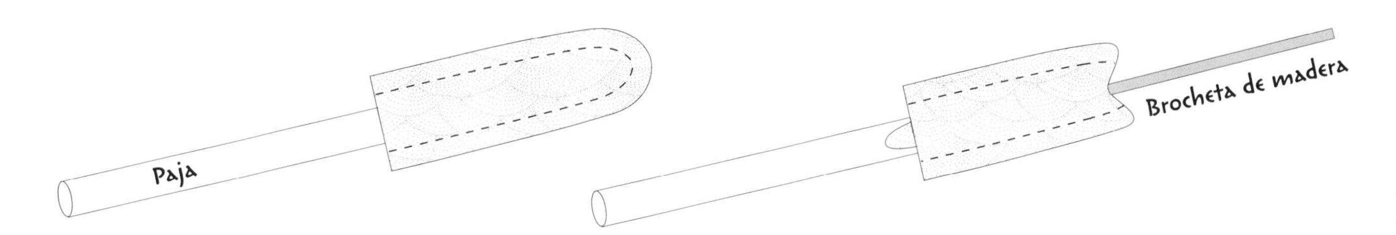

1 Sujetar con dos dedos las piezas que haya que rellenar y hacer rodar la tela para abrirla. Introducir el extremo de la paja dentro de la pieza de tela.

2 Con el lado romo de la brocheta de madera, empujar la punta de la pieza de tela por dentro del extremo de la paja que queda en la pieza.

3 Seguir empujando la tela por dentro de la paja hasta volver la pieza del derecho. Seguir empujando la pieza de tela hasta sacarla por el otro extremo de la paja.

Coser una abertura

Algunas aberturas para volver del derecho resultan visibles en el muñeco terminado y por eso es importante que la costura quede lo mejor posible.

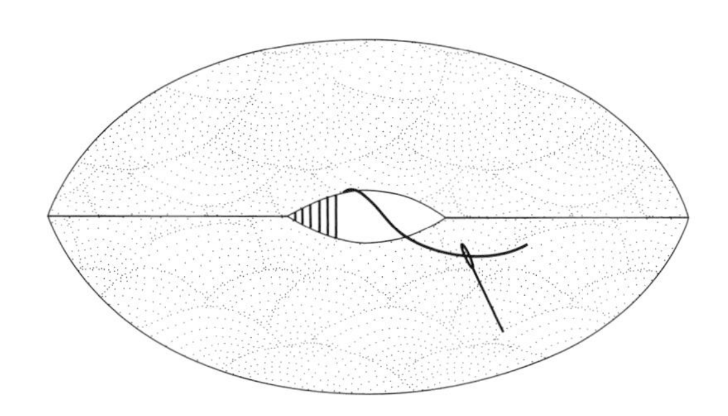

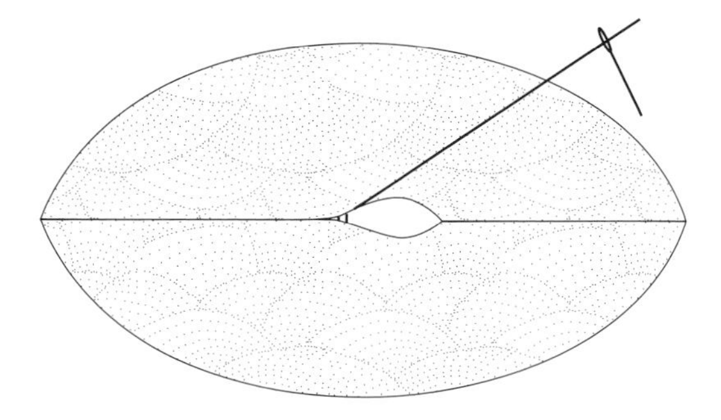

1 Con dos hebras de hilo de poliéster fuerte, esconder el nudo dentro del muñeco (como se explica en la página 109), y empezar la costura en un extremo de la abertura. Con un punto de punto escondido (diagrama en página 106), cerrar la abertura.

2 Cuando se tengan cosidos unos 1,3 cm de la abertura, tirar del hilo despacio, pero con fuerza, hacia el otro extremo de la abertura para juntar los dos bordes.

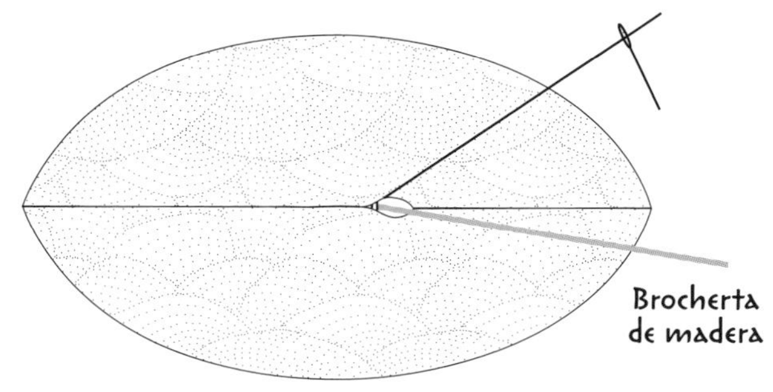

3 Seguir cosiendo la abertura de igual modo, tirando del hilo para juntar los bordes cada 1,3 cm de costura. Cuando queden solo unos 1,3 cm de abertura por coser, meter un poco más de relleno para que no quede una zona hundida en el muñeco. Hacerlo con cuidado, empujando los copos de relleno con la brocheta de madera o con un palito de floristería.

4 Cuando el relleno esté bien apretado y liso, coser el resto de la abertura. Esconder el nudo al final para afianzar la costura.

Insertar las piernas

Es más fácil insertar las piernas en el cuerpo del muñeco antes de rellenarlo.

1 Para hacerlo, doblar el borde inferior del cuerpo unos 6 mm hacia dentro y planchar el doblez.

2 Tomar las piernas rellenas y colocarlas mirando del lado correcto. Hilvanar los cantos de arriba de las piernas en su sitio entre los bordes doblados del cuerpo, del delantero y de la espalda. Situar la pierna izquierda a la izquierda del cuerpo y la derecha a la derecha, de modo que quede un espacio entre las dos piernas. Hacer un pespunte por fuera para coser las piernas en su sitio, atravesando todas las capas con la máquina de coser, dejando una abertura entre las piernas para rellenar. Ahora se puede rellenar la sección del cuerpo por la abertura sin que se salga el relleno. Cuando el cuerpo esté bien relleno, cerrar la abertura a punto escondido (ver página anterior).

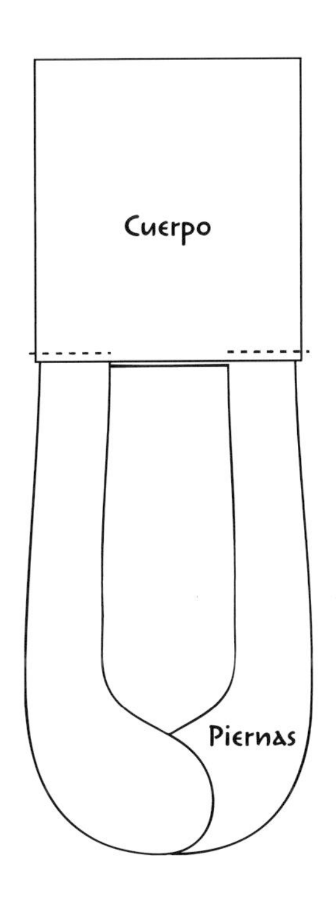

Unir con botones

Esta técnica es una manera rápida, fácil y efectiva de coser brazos y piernas al cuerpo de los muñecos de tela. Una de las grandes ventajas de coserlos con botones es que se pueden mover y quedan muy seguros. También elimina la necesidad de una costura a mano complicada y, además, aporta interés visual a los muñecos si se eligen botones decorativos de color complementario.

1 Para coser brazos y piernas con el método de Unir con botones, se necesita una aguja para muñecos extralarga (página 103) y seis hebras largas de hilo de bordar (mouliné) de un color a tono con los botones. Hacer un doble nudo en el extremo de las seis hebras y recortar a ras del nudo.

2 Empezar por pasar la aguja por una costura lateral del cuerpo del muñeco en el lugar adecuado, atravesar con ella el cuerpo y salir por la otra costura lateral, a la misma altura del otro lado.

3 Pasar ahora la aguja por un brazo/pierna, a unos 1,8 cm del extremo superior de él, pasarla por uno de los botones y de nuevo atravesar hasta el otro lado del cuerpo. Aquí se pasa la aguja por el otro brazo/pierna y por el botón (ver diagrama) y se vuelve a atravesar el cuerpo hasta el otro lado.

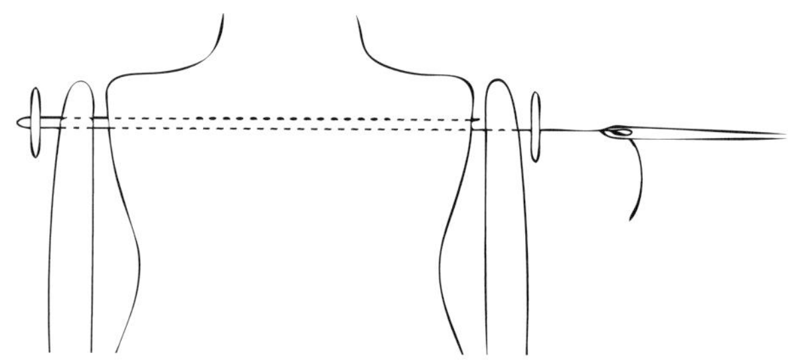

4 Repetir unas cuantas veces, pasando la aguja por todas las capas hasta que los brazos/piernas queden bien sujetos. Anudar el hilo y esconder el nudo en el brazo/pierna (página 109).

Otro método de unión

Si el muñeco está destinado a un niño pequeño, es importante evitar el uso de botones porque pueden ser causa de atragantamiento. En este caso, se cose igual pero sin botón. Se empieza por esconder el nudo en un costado del muñeco, se cosen los brazos/piernas sin botón y, al terminar de coser, se esconde el nudo del hilo en el cuerpo/brazo/pierna.

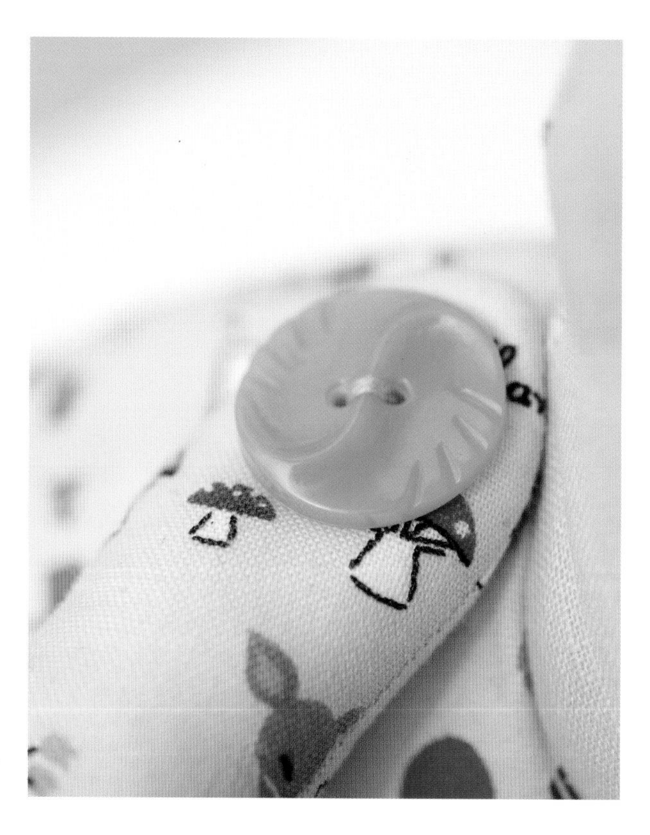

Cosido de piezas a punto escondido

A veces, las instrucciones de una labor indican que se cosa una pieza al muñeco relleno con punto escondido. Este método es el que se utiliza cuando la pieza se cose aplastada o sobresaliendo del muñeco. Seguir el diagrama del punto escondido de la página 106, pero dando una puntada en el borde de la pieza añadida y luego una puntada en el cuerpo del muñeco. Las puntadas del cuerpo se dan siguiendo la forma de la pieza añadida para que esta no se deforme.

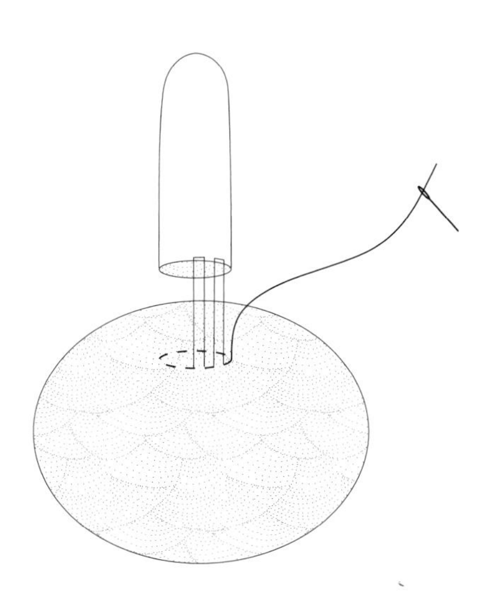

Pintar tela

Esta técnica es la utilizada para los zapatos de la muñeca Tilly (página 15). Se necesita pintura acrílica de manualidades y un pincel plano. Primero se marca en la tela la línea exterior de la zona a pintar con un lápiz de mina dura. Con el borde plano del pincel se va aplicando la pintura, sin diluir, a lo largo de la línea dibujada y luego se rellena el resto de la zona con pinceladas iguales. Dejar secar al aire o utilizar un secador para acelerar el proceso. Aplicar barniz acrílico al agua sobre la zona pintada. Elegir un barniz de brillo para imitar el brillo del cuerpo, o un barniz mate para imitar ante.

Patrones

AMPLIAR TODOS LOS PATRONES UN 200%

El alienígena Alvin
(páginas 76-83)

Cuerpo

Dejar abierto

Pupila del ojo superior

Ojo central

Ojo superior

Pupila del ojo central

Brazo

Dejar abierto

Base del casco

Dejar abierto

Oreja

Cuerpo

Dejar abierto

Cuerno

Dejar abierto

Interior de las patas

La jirafa Gerbera
(páginas 68-75)

El dinosaurio Darcy

(páginas 54-59)

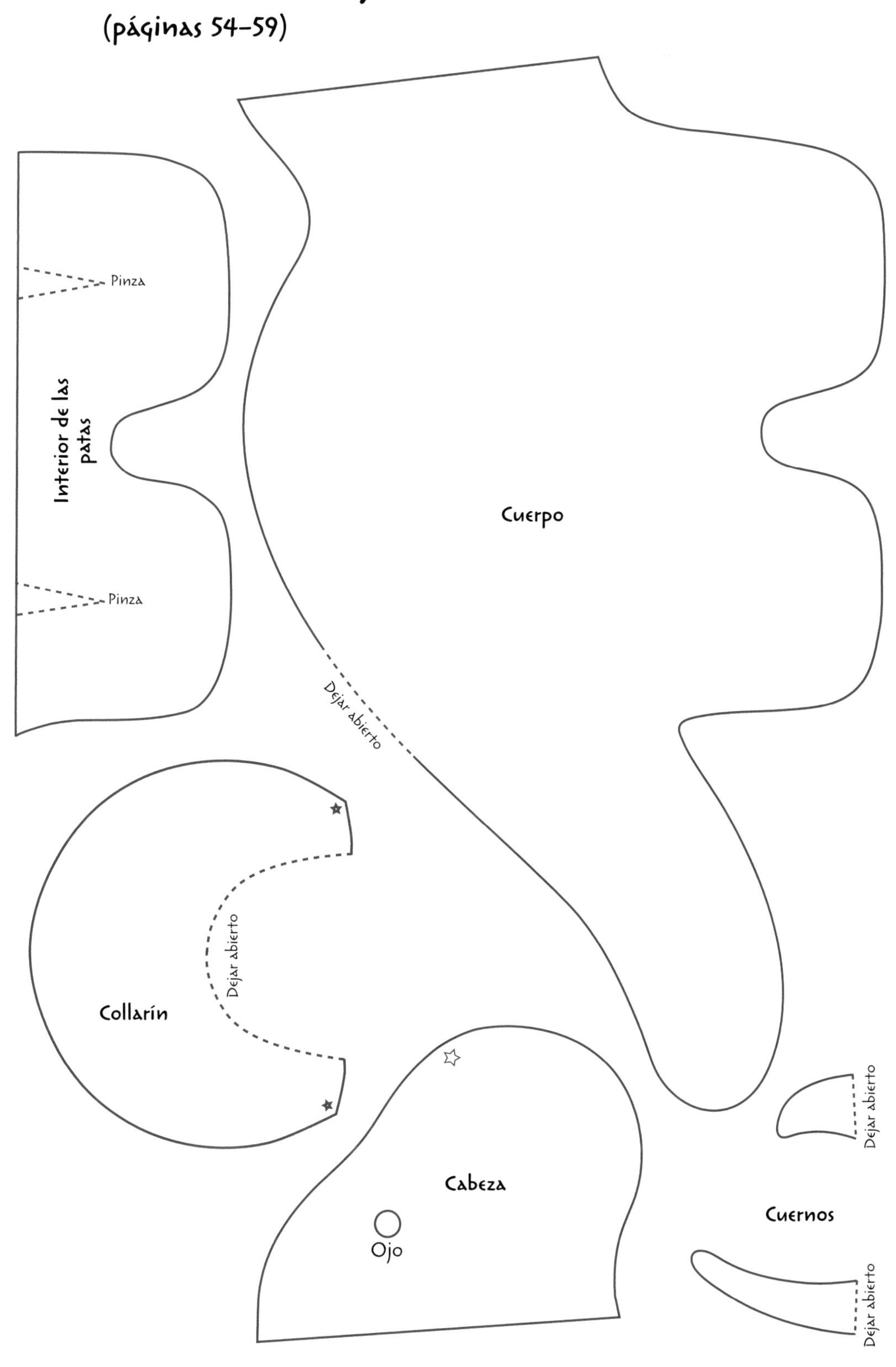

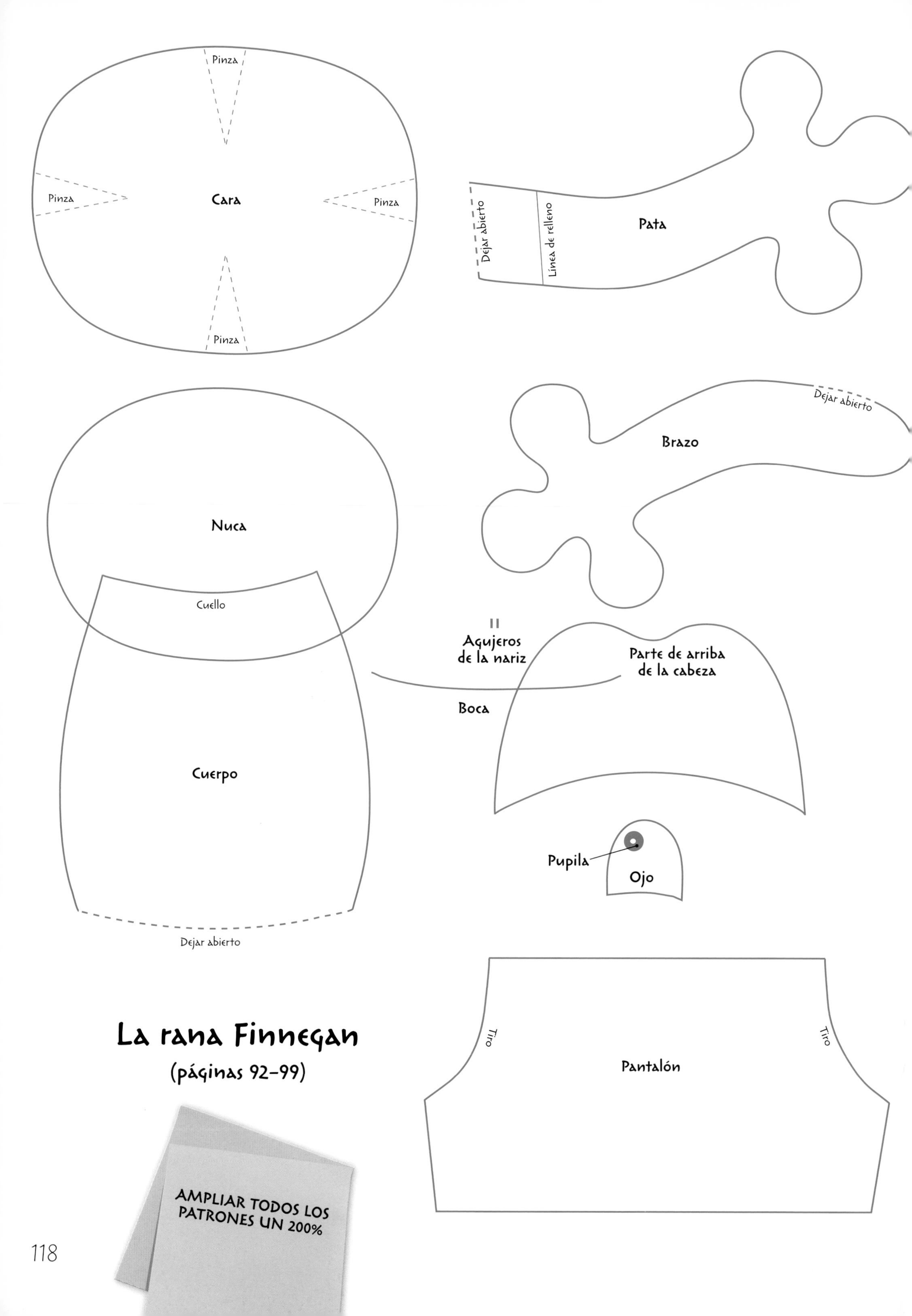

La rana Finnegan

(páginas 92–99)

La cerdita Polly

(páginas 84–91)

La ratita Mabel

(páginas 60–67)

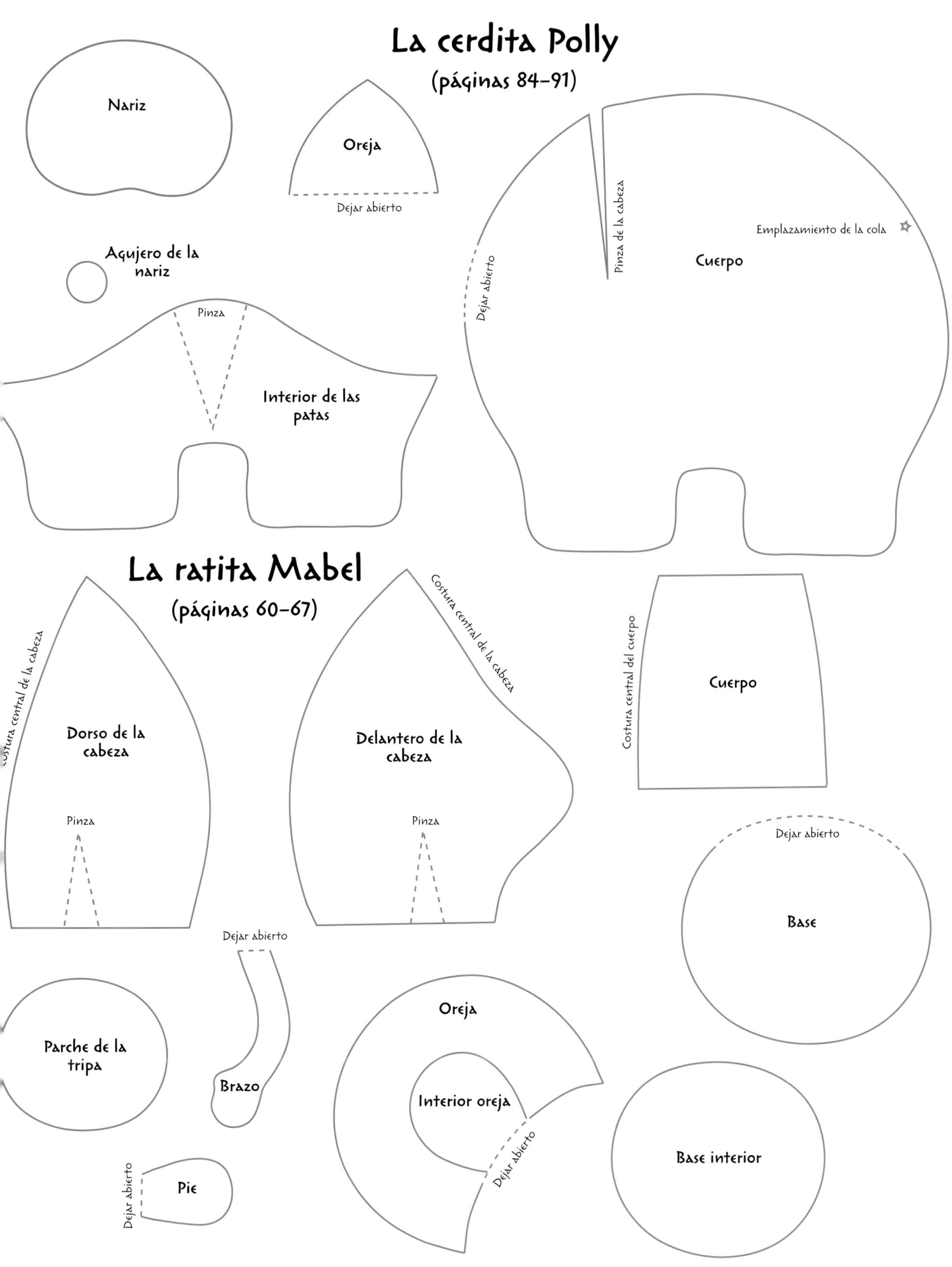

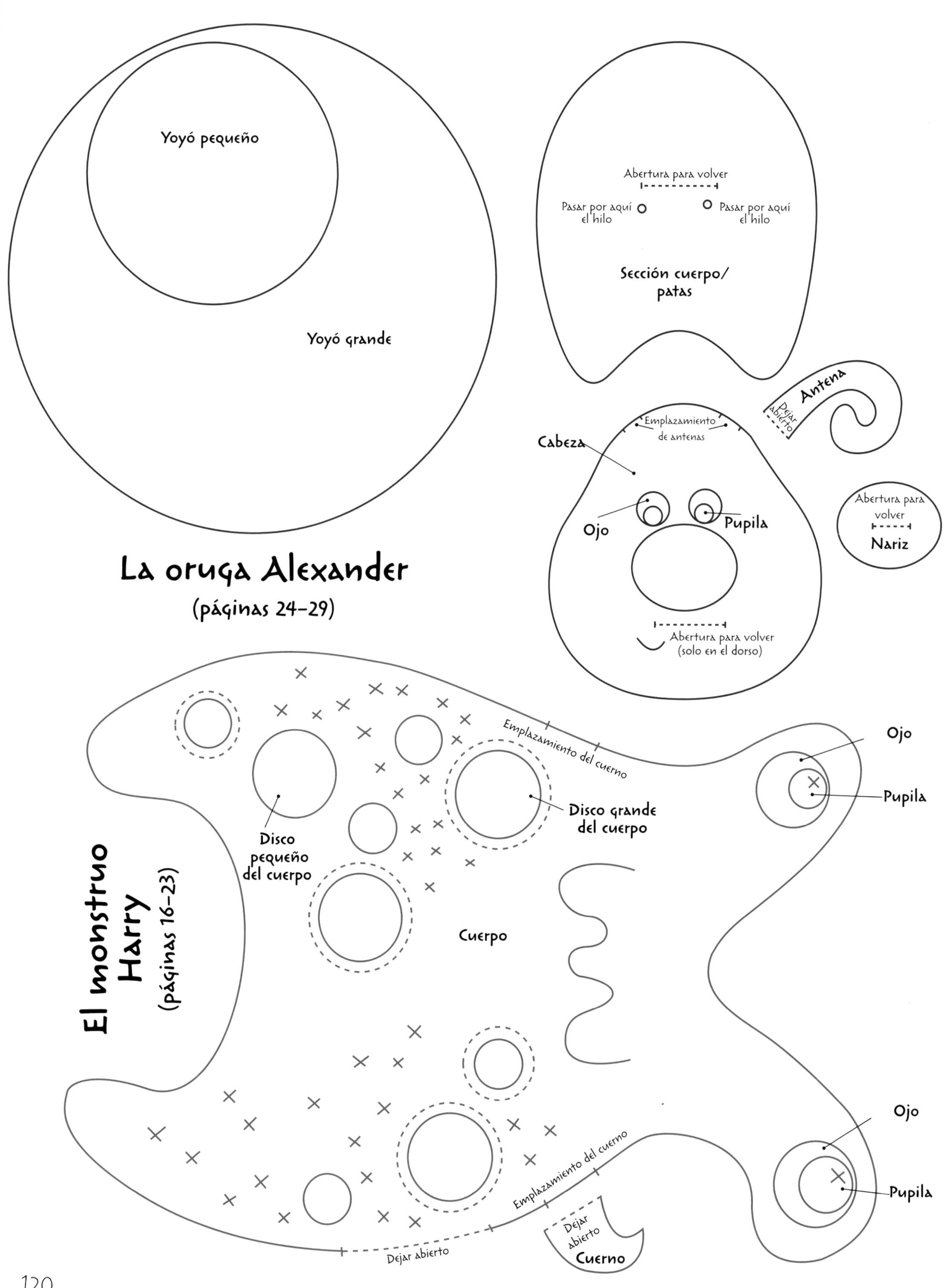

Yoyó pequeño
Yoyó grande
Abertura para volver
Pasar por aquí el hilo
Pasar por aquí el hilo
Sección cuerpo/ patas
Antena
Dejar abierto
Emplazamiento de antenas
Cabeza
Ojo
Pupila
Abertura para volver
Nariz
Abertura para volver (solo en el dorso)
La oruga Alexander
(páginas 24–29)
Emplazamiento del cuerno
Ojo
Pupila
Disco grande del cuerpo
Disco pequeño del cuerpo
El monstruo Harry
(páginas 16–23)
Cuerpo
Ojo
Pupila
Emplazamiento del cuerno
Dejar abierto
Cuerno
Dejar abierto

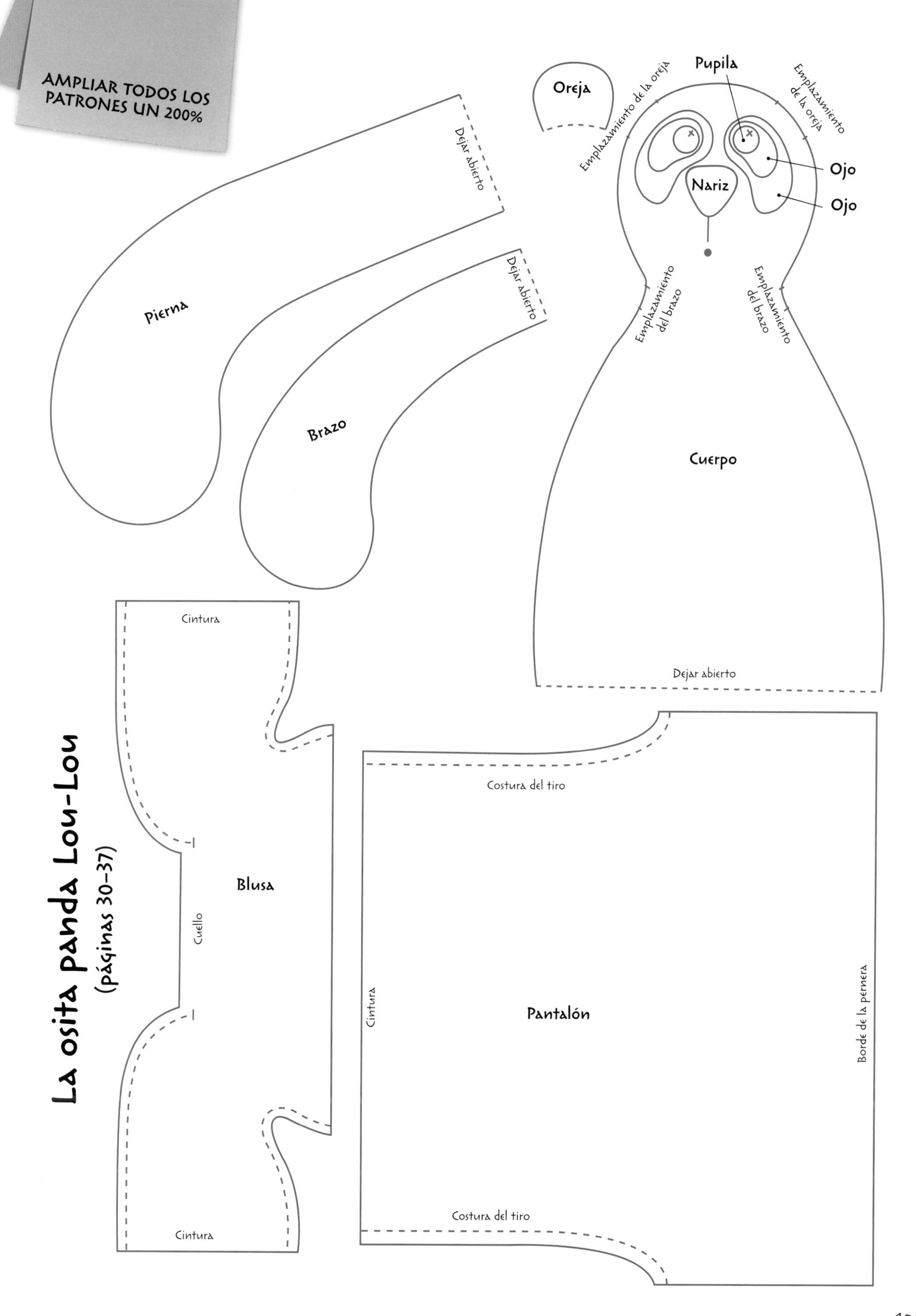

La osita panda Lou-Lou
(páginas 30-37)

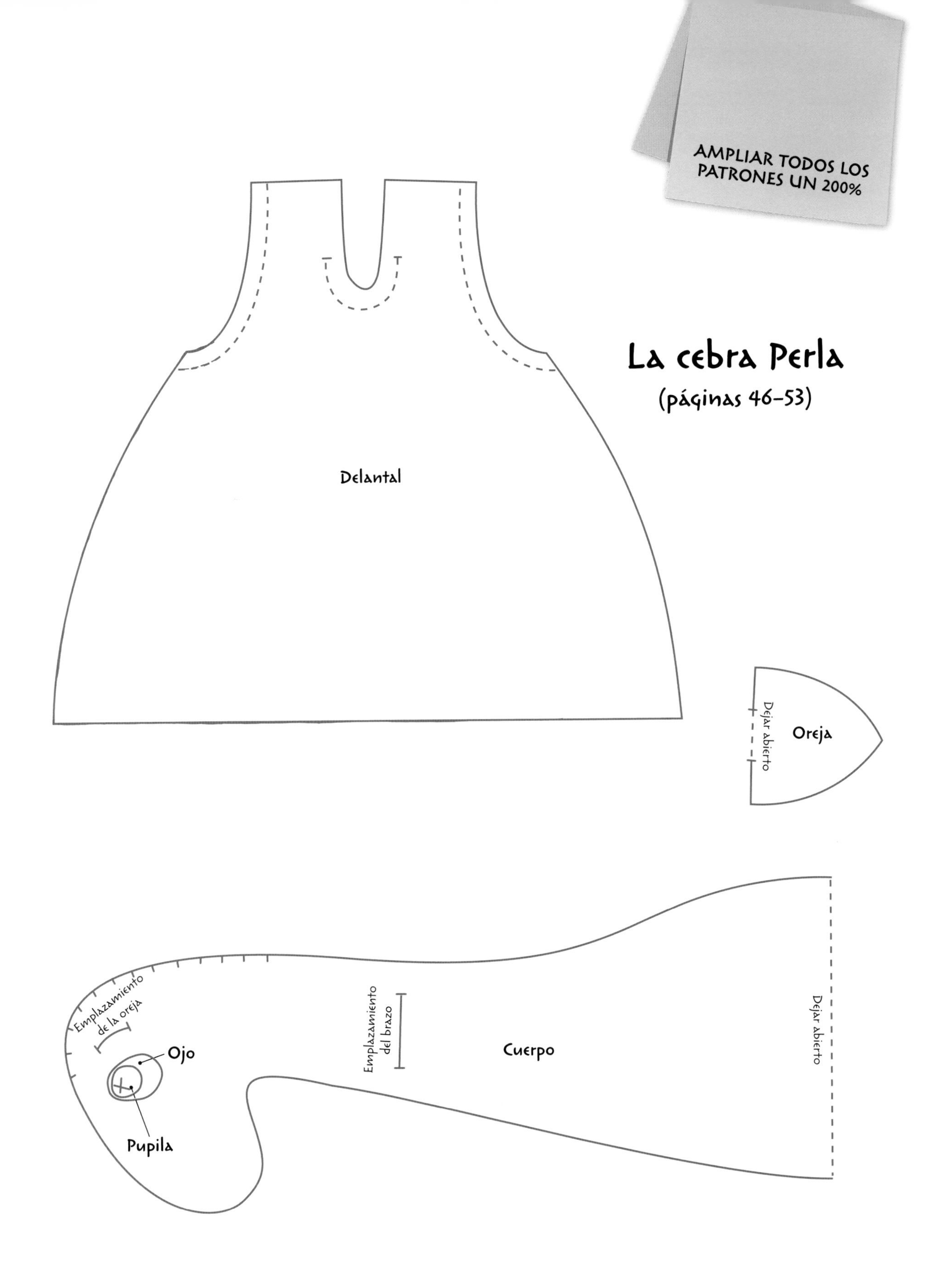

La cebra Perla

(páginas 46–53)

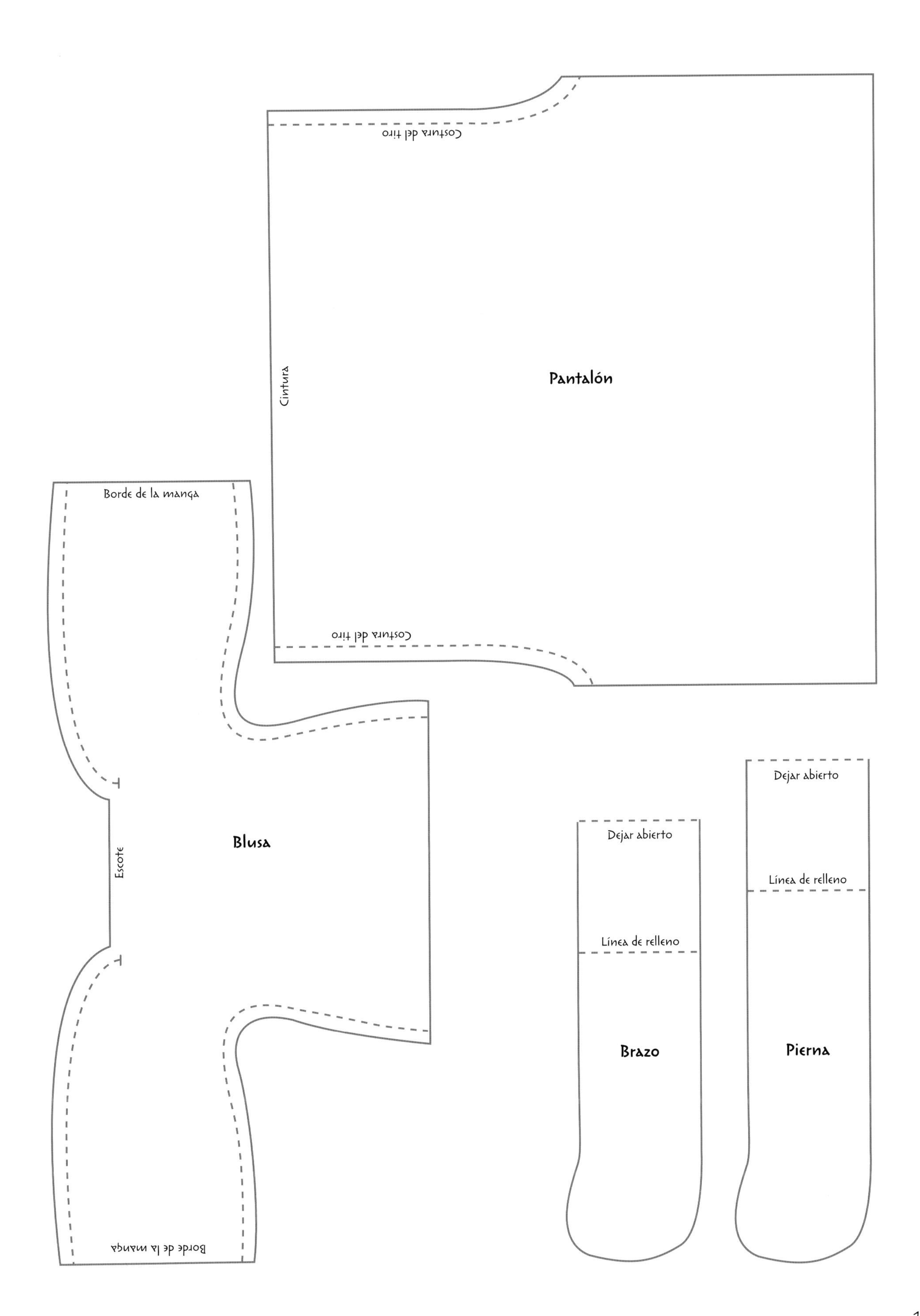
Costura del tiro
Cintura
Pantalón
Costura del tiro
Borde de la manga
Escote
Blusa
Borde de la manga
Dejar abierto
Línea de relleno
Brazo
Dejar abierto
Línea de relleno
Pierna

AMPLIAR TODOS LOS PATRONES UN 200%

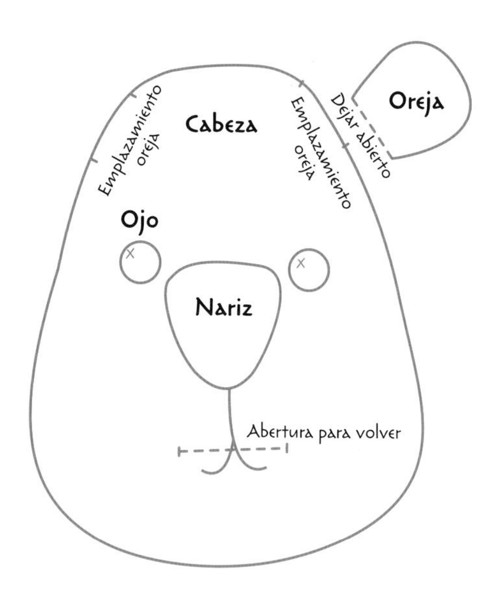

El león Preston

(páginas 38-45)

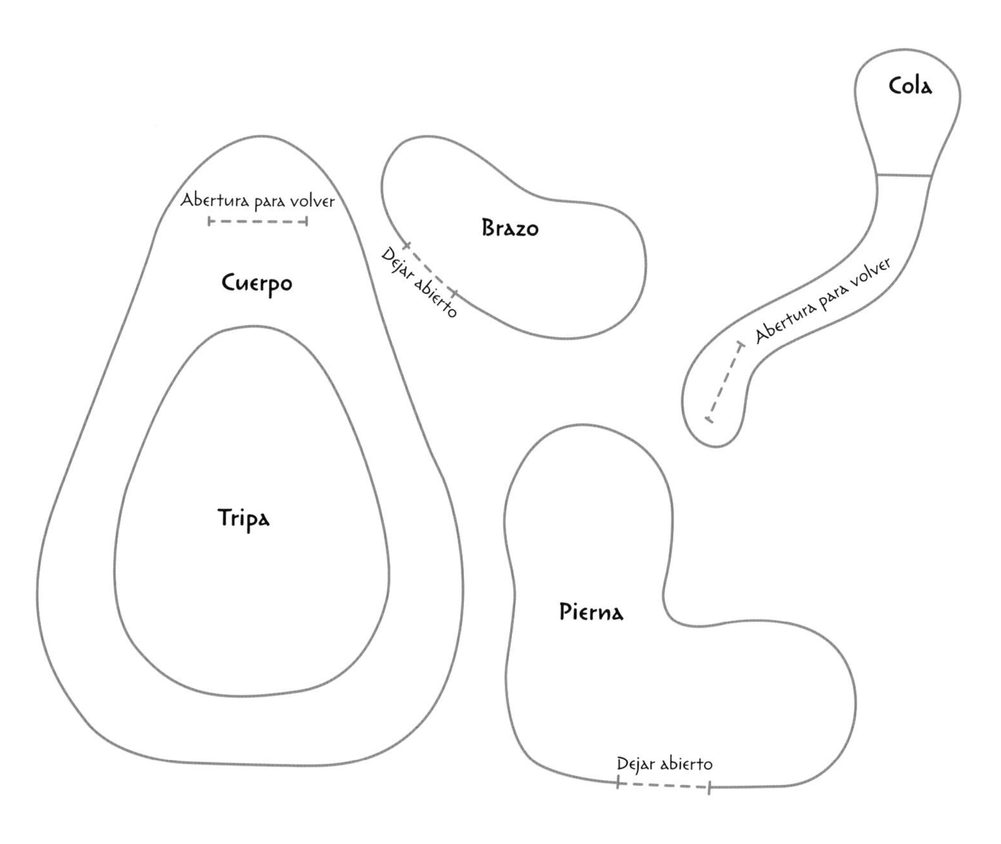

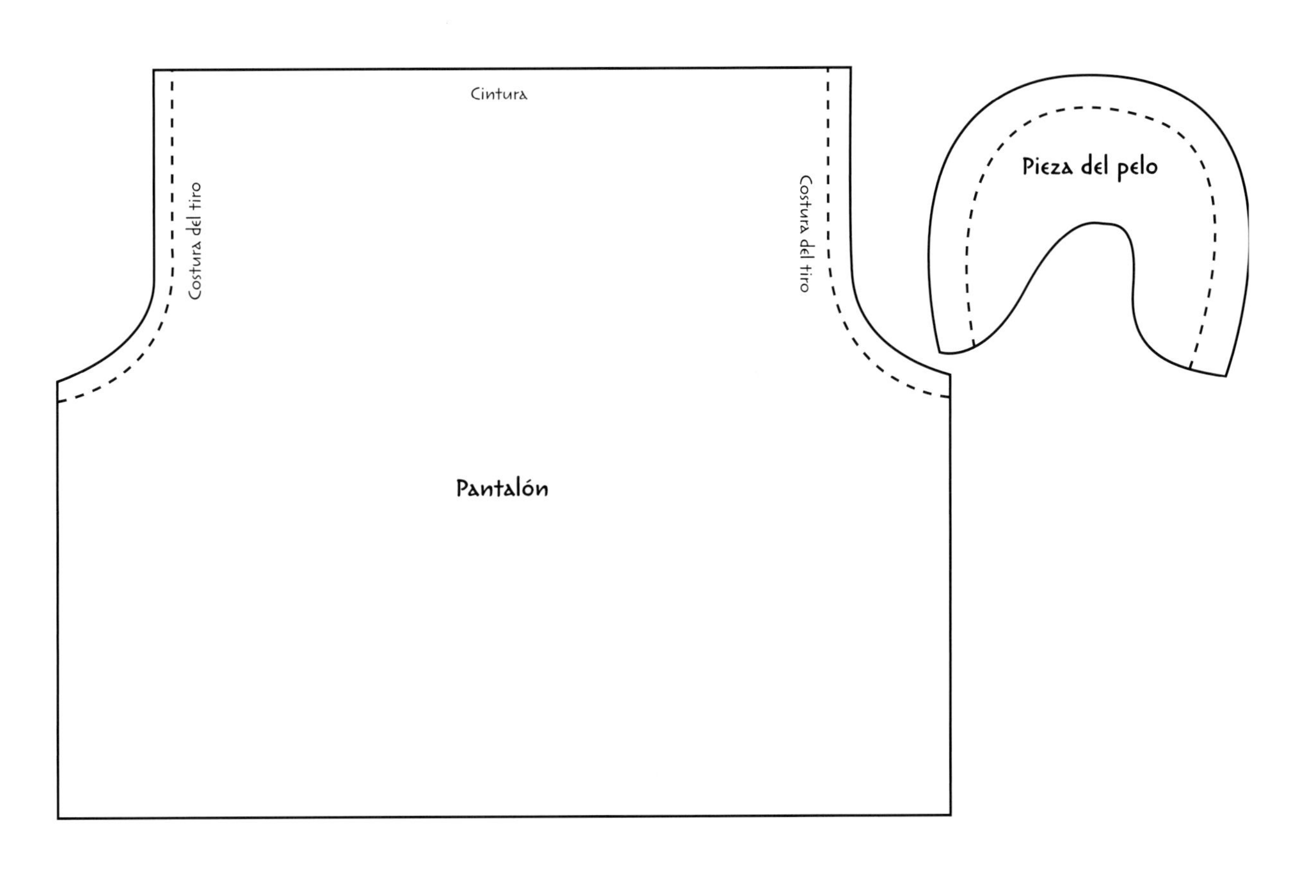

La muñeca Tilly

(páginas 8–15)

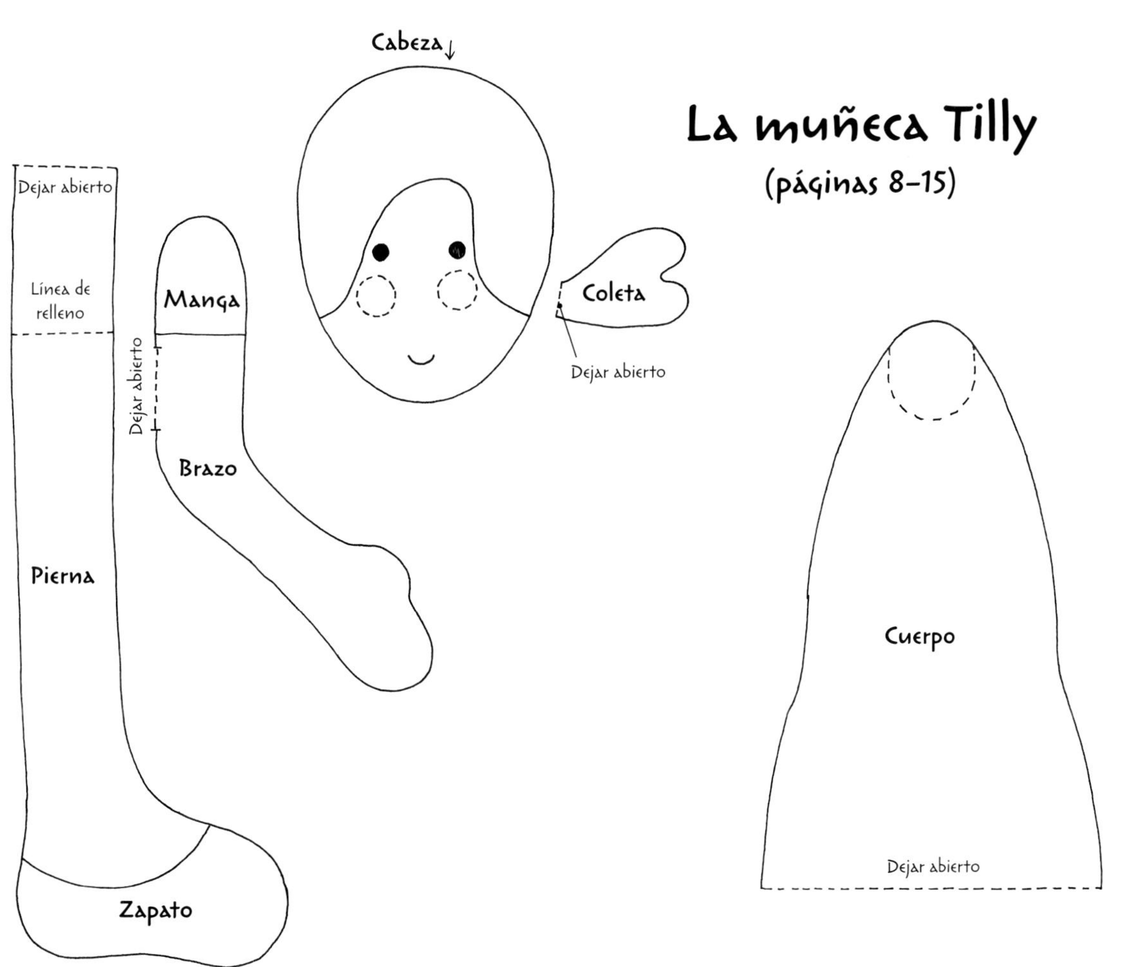

Otros títulos publicados

Más información sobre estos y otros títulos en nuestra página web:
www.editorialeldrac.com

LAS AUTORAS

Rosalie Quinlan es una apasionada de las manualidades y de la costura desde que era jovencita. Empezó a diseñar patrones para muñecos, bolsos y quilts hace 14 años, bajo la marca Rosalie Quinlan Design, y al mismo tiempo inició sus enseñanzas sobre labores en Australia y otros países. En 2006, Rosalie se unió a su hermana Melanie Hurlston para crear una segunda marca de diseño, Melly & Me, que le ofreció la oportunidad de explorar diseños divertidos y fantásticos, en lugar de los más tradicionales. Rosalie también colabora regularmente con varias revistas sobre quilts, tanto australianas como internacionales, y en 2009 se embarcó en el diseño de textiles para la empresa japonesa Lecien; recientemente ha lanzado su segunda colección de tejidos, llamada Sweet Broderie.

Melanie Hurlston es diseñadora de patrones con base en Melbourne, Australia. La aventura de Melly en el mundo de la costura se inició hace seis años, cuando, siendo madre ama de casa, descubrió que seguía sintiendo ilusión por crear y producir. Su pasión por la costura creció cuando su hermana Rosalie Quinlan la animó a iniciarse en ese mundo y a los 12 meses de ello empezó a diseñar bajo la marca Melly & Me. Lo que se proponía Melly era desarrollar una gama de patrones de costura actuales, incluyendo muñecos de fantasía y atractivos, bolsos prácticos y quilts modernos. Su empeño era diseñar productos originales, divertidos y que pudieran hacerse fácilmente, además de servir para la vida diaria. En 2010, Melly lanzó una segunda marca de diseño, Sew Little, que incluye patrones para ropa de bebé. Ese mismo año, Melly presentó sus dos primeras colecciones de telas Little Menagerie para Windham Fabrics y Where the Wind Blows para Creative Abundance. Melly se inspira en sus niños, en sus recuerdos de infancia y en su pasión por el color.

Melly & Me
www.mellyandme.typepad.com

Rosalie Quinlan Designs
www.rosaliequinlandesigns.typepad.com

AGRADECIMIENTOS

Queremos expresar nuestro agradecimiento a nuestros padres, Nel y Jacques, por su continuo apoyo y ánimo, y sobre todo por ofrecernos un entorno creativo en la infancia.

Deseamos dar las gracias al equipo de D&C por hacer realidad este libro y dar vida a nuestras creaciones.

También queremos agradecer a nuestras familias su incesante apoyo y ánimo para que hiciéramos realidad nuestros sueños. Y por último, aunque no menos importante, queremos dar las gracias a todas las mujeres (y, a veces, hombres) maravillosas que han comprado nuestros patrones, han asistido a nuestras clases y han seguido nuestro camino hasta aquí.

Índice